PHARE

HACHETTE

carte samovar

cérémonie du thé **L'heure**

Matcha

des thés

Pekoe, Darjeeling, Souchong

Christian Manil
Marie Zbinden

64%

de la production mondiale sont couverts par l'Inde, la Chine et le Sri Lanka. L'Inde à elle seule assure 34 % de cette production, dont elle réserve les deux tiers à sa consommation domestique. La Chine 19 %, le Sri Lanka 11 %, le Kenya 10 % et le Japon 6 %. ▶ 32

Le niveau de consommation approchant aux allemande.

3,6 kg par an et par habitant.

La consommation de la Russie atteint à peine 100 g.

▶ 32

En 2 737 avant notre ère : l'empereur de Chine Shen Nong découvre les vertus d'un breuvage un peu amer mais riche en arômes.

▶ 13

Le thé est la première boisson consommée dans le monde après l'eau.

 32

C'est le prix atteint aux enchères en 1998 par une espèce extrêmement rare de thé rouge de Chine.

De 1 500 à 60 000 F le kg,
les prix les plus
couramment
les plus chers peuvent
atteindre
90 000 F le kg

Thés fantaisie des années 1990 :

*invasion de canettes,
bouteilles et packs de thé
aromatisé, glacé, pétillant.
Les ventes de ces produits
sont estimées à* **2 500 millions**
*de litres en Europe
pour l'an 2000.*

4 ans,
c'est le temps nécessaire
pour qu'un théier devienne
productif.

Les plus vieux, qui ont
de 100 à 200 ans,
donnent les meilleurs
rendements.

1 600 ans, c'est l'âge du plus
vieux théier du monde.
Il mesure 30 m !

▶ 56

Cha (prononcer *Tcha*),
c'est le caractère chinois qui désigne le thé, utilisé depuis
plus de 3 000 ans dans la pharmacopée chinoise...

 13

« Le thé n'est rien d'autre que ceci :
faire chauffer de l'eau,
préparer le thé et le boire convenablement. »
Sen No Rikyû, dit aussi Soshi, (1522-1591).

 18

Le thé à la chinoise est servi dans des petites tasses
sans anse, en porcelaine fine ;
on le boit à tout moment de la journée.

 15

Les maisons de thé, interdites par Mao Ze Dong,
rouvrent depuis peu en Chine.
On y vient pour se délasser, écouter une pièce
de théâtre, discuter, ou y manger.

48

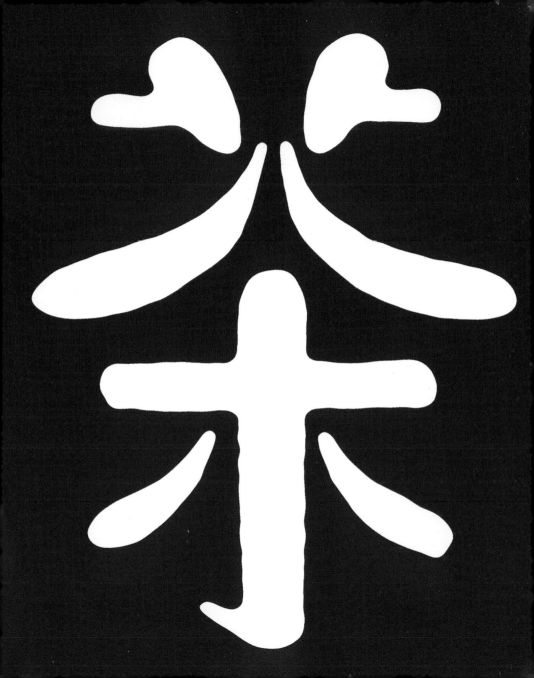

te
Danemark

chaya
Inde

tae
Israël

boeja
Tibet

cha
Japon

tzai
Iran

thee
Pays-Bas

tea
Angleterre

tèh
Indonésie

tchaï
Russie

thé
France

tee
Allemagne

Boisson sans calories et sans sodium, **le thé est connu depuis l'Antiquité pour ses nombreuses qualités :** il stimule le système nerveux par la théine qu'il contient, facilite la digestion par ses tanins astringents, active la circulation sanguine, soutient le cœur, prévient la carie dentaire et exerce une action diurétique.

Le thé peut se conjuguer

avec des essences de camélia, de jasmin ou de rose, des arômes de lichee, de chocolat, de vanille ou de caramel...

Les saveurs du thé dépendent du récipient utilisé et surtout de la qualité de l'eau. *Lu Yu préconisait d'utiliser une eau de montagne, sinon une eau de rivière et, à défaut, une eau de source.*

Selon les pays, la consommation du thé obéit à des traditions
différentes, tant au niveau de la préparation que de la dégustation. **Le thé à la russe,**
assez concentré, est servi dans des verres ; on le boit
parfois en plaçant un morceau de sucre dans la
bouche ; la réserve d'eau bouillante du samovar
permet d'offrir le thé traditionnel à chaque visiteur à
tout moment de la journée. **Le thé à la vietnamienne**
se boit dans des tasses à couvercle. **Le thé à l'arabe,**
infusé avec de la menthe, et très sucré, se boit dans
de petits verres. **Le thé à la japonaise** répond
à un véritable cérémonial, réglé dans les
moindres détails et exigeant des
années d'expérience.

"Any time is tea time"
(c'est toujours l'heure du thé)

La reine Victoria

 87

« Quand on a bu le café anglais, on comprend pourquoi les Anglais sont de fanatiques buveurs de thé. »

Pierre Daninos dans Les Carnets du Major Thomson

 54

« Un homme sur une terrasse de café qui trempe un sachet de thé dans une eau tiède, le tenant par la ficelle comme il tiendrait une souris par la queue. »

Le buveur de thé français vu par Graham Greene

 36

SAVOIR

SUIVEZ LA LONGUE ROUTE DU THÉ, AU DÉPART DE LA CHINE,
VIA LE JAPON ET LES MERS FRANCHIES PAR LES NAVIRES
DE LA COMPAGNIE DES INDES ORIENTALES.
DÉCOUVREZ COMMENT CETTE DENRÉE PRÉCIEUSE
FUT L'ENJEU DE LUTTES SANGLANTES EN EUROPE
POUR CONTRER LA SUPRÉMATIE CHINOISE.

Emballage de thé, XIXe siècle, Mariage Frères

En 2737 av. J.-C., l'empereur Shennong (ou Chen Nug), connu sous le nom de « Divin Moissonneur », régnait sur la Chine ancienne. À cette époque, il avait déjà inventé l'agriculture et la médecine. Par mesure d'hygiène, il préconisait à ses sujets de faire bouillir l'eau qu'ils consommaient. Il parcourait le pays, à l'affût de nouvelles plantes et de leur action curative. Un jour où il s'était gravement intoxiqué, Shennong s'assit à l'ombre d'un théier sauvage agité par le vent. Puis, selon ses principes, il fit bouillir de l'eau que colorèrent quelques feuilles d'une branche du théier tombées par hasard dans sa tasse. Le breuvage que but l'empereur était un peu amer mais il était riche en arômes. Le bien-être l'envahit aussitôt. Selon la légende, c'est ainsi que naquit le thé et que furent découvertes ses vertus thérapeutiques.

La légende japonaise raconte qu'au VIᵉ siècle de notre ère, le prince indien Bodhidharma partit en Chine fonder le bouddhisme chan (qui se développera au Japon au XIIᵉ siècle sous le nom de zen). Il avait fait le vœu de ne jamais dormir pour remplir sa mission. Épuisé, il y manqua cependant et s'endormit sur le bord du chemin. À son réveil, pour se punir, il s'arracha les paupières. Quelques années plus tard, il revint au même endroit. Là où il avait jeté ses paupières, deux théiers avaient poussé.

SHENNONG
Selon la légende, l'empereur Shennong découvre le thé et ses vertus thérapeutiques en 2737 av. J.-C.

Dans la légende indienne, le même prince Bodhidharma, à la fin de sa vie, était entré en méditation face à un rocher. Au bout de quelque temps, fatigué, il cueillit par hasard quelques feuilles d'un arbuste voisin et les mâcha. Il leur trouva le pouvoir de chasser l'ennui et de rester concentré. Grâce à cette découverte salvatrice, il put accomplir le vœu qu'il avait fait de ne pas dormir pendant neuf ans.

BOUILLI, BATTU OU INFUSÉ, LE THÉ EN CHINE À TRAVERS LES ÂGES

Au-delà de la légende, le thé serait utilisé dans la pharmacopée chinoise depuis plus de 3 000 ans, en particulier dans les régions du **Yunnan,** Sichuan et **Guizhou** où se trouvent encore les plus vieux théiers sauvages. Le thé a longtemps été consommé dans les soupes comme aliment mélangé à d'autres ingrédients. Mais, s'il est fait mention d'un thé noir dans les plus anciens traités (VIIᵉ et VIᵉ siècles avant notre ère), c'est sous la forme du caractère *Tu,* qui désignerait plusieurs plantes amères. Quoiqu'il en soit, sous forme d'aliment et/ou de médicament, le thé est déjà soumis à l'impôt et, à ce titre, joue un rôle essentiel dans l'histoire de la Chine. Sous la dynastie Han (-206 à 220), le thé devient une boisson mais, de faible production, il est réservé à la cour. À cette époque le caractère *Tu* est remplacé par le caractère **Cha.**

Le bouddhisme, sous la dynastie Nanbei (420 à 589), va favoriser la culture puis la distribution du thé. Les moines apprécient les vertus stimulantes du thé pour la prière et la méditation. Autour des temples les plus réputés, les plantations de théiers se développent, de nouvelles

variétés apparaissent, les méthodes de bouturage évoluent, tout comme l'art de préparer le thé dont la codification s'ébauche. Enfin, les usages thérapeutiques du thé se précisent.

Sous la dynastie Tang (618 à 907), le thé se popularise. Les premières maisons de thé apparaissent. Les poètes, les potiers et les peintres participent à la sophistication de l'art du thé. C'est au VIIIe siècle que le poète Lu Yu écrit le premier traité consacré au thé, *Le Classique du thé (Cha Ching)*. Le thé, compressé sous forme de briques que l'on chauffe pour les émietter, est réduit en poudre et dilué avec de l'eau chaude. Il est surtout consommé bouilli. On y ajoute quelques ingrédients : du sel, des épices, de l'oignon. C'est sous cette forme de soupe qu'il est introduit vers le VIe siècle au Tibet. Il y est toujours consommé de la sorte. À cette époque, le thé voyage à travers la Chine jusqu'au Tibet ou vers la Mongolie, à dos de chameau et de yack. La route du thé est longue de 1 500 kilomètres, traverse une cinquantaine de cols passés pour certains à plus de 5 000 mètres d'altitude. L'État exerce un monopole sur les exportations. Les briques de thé, facilement transportables, constituent une valeur d'échange inestimable à mesure que l'on s'éloigne des zones de production. C'est ainsi que la Chine, qui ne possède pas de chevaux pour son armée, se les procure en Mongolie.

Sous les dynasties Song (960 à 1279), les thés en vrac apparaissent pour satisfaire la demande populaire en même temps que se développe la production de thés plus ordinaires. Ils se fabriquent plus rapidement et se préparent plus aisément. La cour consomme, pour sa part, des qualités de plus en plus raffinées. Les bols deviennent moins profonds mais plus larges. Le thé est écrasé sous une meule, transformé en une poudre très fine. Cette poudre est battue à l'aide d'un fouet de bambou dans l'eau chaude pour obtenir une mousse délicate. Le thé est alors introduit au Japon et c'est toujours sous cette forme qu'il y est aujourd'hui consommé, en particulier au cours de la cérémonie du thé, le **Chanoyu** (littéralement « eau chaude pour le thé »).

MAGASIN DE THÉ

Entre le XIVe et le XVIIe siècle, la production et le commerce du thé en vrac connaissent un essor sans précédent en Chine.

La préparation du thé sous la dynastie Ming (1368 à 1644) continue d'évoluer. La fabrication du thé compressé est arrêtée sur ordre de l'empereur. La production de thé en vrac se développe. On infuse les feuilles. La bouilloire, la théière, en terre ou porcelaine, et les petites tasses sans anse font leur apparition. L'art du thé entre dans l'âge moderne. Quant au commerce, il va trouver un nouvel essor avec l'arrivée des Hollandais en terre de Chine.

LU YU ET « LE LIVRE DU THÉ »

Poète et philosophe de la période Tang, Lu Yu est aussi un grand maître du thé. Abandonné enfant, il est recueilli dans un monastère par un maître zen qui lui donne son nom (Lu signifie « grande terre » et Yu « plumes »). Mais il ne veut pas être moine et s'enfuit avec une troupe de

comédiens ambulants. Puis il s'installe dans la province du **Zhejiang** où il se consacre à ses travaux et enfin fait retraite jusqu'à sa mort (en 804). Il a 81 ans. Vers 780, il publie *Le Classique du thé (Cha Jing)*, qui influencera non seulement ses contemporains mais aussi les grands maîtres du thé à venir. Il y consigne l'origine, l'histoire, la plantation, la fabrication, la préparation et la dégustation du thé. Il écrit : « Il n'y a pas de solution de facilité. Se contenter de cueillir le thé à l'ombre et le faire sécher dans la fraîcheur du soir, ce n'est pas le préparer... Le réduire en poudre couleur de jade ou en poussière verte, ce n'est pas piler le thé. Manipuler gauchement les ustensiles et passer d'un ustensile à un autre, en attirant l'attention, ce n'est pas préparer le thé. » En revanche, il reste peu de traces de son œuvre poétique. Lu Tung, un autre esthète, que l'on qualifiait de « fou du thé » a dit : « Nullement ne m'intéresse l'immortalité, mais juste le goût du thé. » Et, de fait, il consacre sa vie à la pratique du thé, appliquant le principe taoïste du « non-agir » et les principes de la prédominance du rite et du « juste milieu », chers à Confucius, reliant ainsi les Chines méridionale et septentrionale.

LE THÉ AU JAPON, SUPPORT DE MÉDITATION ET BOISSON THÉRAPEUTIQUE

Deux siècles après la commercialisation du thé chinois au Tibet (au VIIe siècle de notre ère), l'ambassadeur de Corée en Chine rapporte à son souverain un plant de thé qu'il s'est procuré à la cour des Tang. Ce plant serait à l'origine des vastes cultures de thé du Sud coréen qui se développent alors et n'ont rien à envier aux meilleurs crus chinois. C'est aux Coréens que les Japonais emprunteront le terme de *cha* pour désigner le thé. Son introduction au Japon se fait sous l'égide des religieux.

LA CÉRÉMONIE DU THÉ

C'est au XVIe siècle que Sen No Rikyū édicte les règles de la cérémonie du thé.

Au début du IXe siècle, le moine bouddhiste ésotérique Saicho (connu également sous le nom de Dengyo Daishi) plante les premières graines de théier, au pied de son monastère, à Sakamoto. Ce dernier est ainsi devenu le plus vieux jardin de thé japonais. Quelques années plus tard, à Saga, un autre religieux, Eichu, offre à l'empereur un thé préparé par ses soins. Celui-ci est séduit et encourage l'installation de nouvelles plantations dans l'archipel. Cependant, quand en 894 les traités commerciaux avec la Chine prennent fin, le thé passe de mode. Au XIIe siècle, le bouddhiste zen Eisai ramène de nouvelles semences de Chine ainsi que la manière de boire le thé en poudre battu. Il en promeut l'usage pour tous les Japonais. Enfin, la mode du thé infusé, le ***sencha,*** est instaurée en 1654 par un moine chinois.

DU SIMPLE USAGE DU THÉ À LA CÉRÉMONIE DU THÉ

Les liens qui unissent le bouddhisme et l'introduction du thé au Japon sont sans doute à l'origine de sa ritualisation. Mais, si celui-ci est un support à la méditation, très tôt il est aussi une boisson thérapeutique, puis un prétexte aux mondanités, que ce soit à la cour ou sous l'influence des samouraïs qui organisent des concours, sortes de dégustations « à l'aveugle ».

On retrouve donc ces composantes spirituelles, thérapeutiques et conviviales dans l'art du thé qui se dessine sous des influences successives. Eisai avait posé les bases de son usage, le moine Murata Shukô et le marchand lettré Takeno Jo-o ouvrent la « Voie du thé » (le *sadô*) tandis que Sen No Rikyû, dit aussi Soeki, (1522-1591), crée une philosophie au travers de la cérémonie du thé ou *chanoyu*. Celle-ci doit célébrer dans la rigueur les quatre vertus taoïstes : pureté, harmonie, respect et sagesse. Elle se déroule selon un code strict qui associe religion et diplomatie. Devenu un personnage important, ce maître de cérémonie est adulé ou jalousé. Son protecteur le somme de s'exiler puis de se donner la mort. Il édicta les « sept secrets de la voie du thé » qui président à la préparation de la cérémonie :

Prépare un délicieux bol de thé
Place le charbon de bois afin qu'il puisse chauffer l'eau
Arrange les fleurs comme elles sont dans le champ
Évoque la fraîcheur en été et la chaleur en hiver
Devance en chaque chose le temps
Prépare-toi à la pluie même s'il ne pleut pas
Porte la plus grande attention à chacun de tes invités.

Toute sa philosophie, qui marquera les maîtres de cérémonie du thé au cours des siècles, ne réside-t-elle pas dans ces quelques mots : « Le thé n'est rien d'autre que ceci : faire chauffer de l'eau, préparer le thé et le boire convenablement » ?

Aujourd'hui encore, des descendants de Sen No Rikyû, « grands maîtres héréditaires », sont à la tête de trois écoles de thé. D'autres écoles existent. Certaines se sont adaptées aux usages de notre temps, dans d'autres veille toujours l'esprit de la tradition.

DES RÉCITS DE VOYAGE À L'IMPORTATION DU THÉ EN EUROPE

La première mention du thé en Occident est due à un commerçant arabe qui rédige en 851 les *Relations de la Chine et de l'Inde*. Les récits des grands voyageurs frappent l'imagination mais il faudra attendre le XVIIe siècle pour que l'Europe découvre véritablement le thé dont les premières feuilles furent sans doute ramenées de Chine par des missionnaires jésuites. Le Portugal s'est rendu maître des côtes de l'Afrique, de l'Arabie, de l'Inde et de l'archipel indonésien. En 1577, des marchands portugais fondent Macao, face à Canton, mais le négoce avec la ville chinoise leur est refusé. C'est alors que les Hollandais achètent directement le thé aux Chinois et l'im-

portent de Macao. Les premières cargaisons sont débarquées à Amsterdam en 1606 par la Dutch East Company (Compagnie des Indes hollandaises), qui conservera le monopole du commerce du thé jusqu'en 1669. Les Hollandais et les Danois deviennent, peu à peu, de gros consommateurs de thé. Acheminé par les Hollandais, le thé pénètre en France sous Louis XIII, en 1636, mais il n'y est consommé que dans des cercles fermés. En 1693, Philippe Sylvestre Dufour public un *Traité du thé* qui témoigne de l'enthousiasme que l'élite européenne porte à la nouvelle boisson et qui fourmille d'indications précieuses sur son

usage et la façon de le préparer selon le savoir-faire chinois. Produit très cher, le thé restera réservé aux aristocrates pendant près de deux siècles avant que la bourgeoisie n'en fasse ses délices, puis les salons littéraires et mondains.

En 1854, Henri et Édouard Mariage fondent à Paris la Maison de thé *Mariage frères* qui commercera avec les comptoirs les plus reculés de Chine puis de Ceylan. Dans les années 1900, les premiers salons de thé apparaissent à Paris, dans certaines villes de province ainsi que dans les stations balnéaires du littoral de la Manche.

L'entrée officielle du thé en Angleterre se fait à la cour au milieu du XVIIᵉ siècle. En 1652, la création à Londres des premiers *coffee houses* permet la diffusion du thé et en assure la popularité. Ce sont des établissements réservés aux hommes où l'on sert du café ou du thé, accompagné de gâteaux et de friandises. En 1706, le thé a pour lui seul pignon sur rue : Thomas Twining ouvre le premier salon de thé londonien, le *Tom's coffee house*. Il y propose du thé à la tasse et surtout accueille la clientèle féminine, qui jusqu'ici était exclue des *coffee houses*. Dès lors, au cours du XVIIIᵉ siècle, l'usage du thé se répand rapidement.

LA SUPRÉMATIE BRITANNIQUE DANS LE COMMERCE DU THÉ

Dès 1615, l'East Indian Company (Compagnie des Indes orientales), rivale britannique de la Compagnie des Indes hollandaises, manifeste son intérêt pour le thé mais il lui faudra attendre la fin des années 1660 et l'interdiction faite aux Hollandais par le gouvernement d'importer en Angleterre les produits de leur négoce pour commencer à en faire commerce avec la Chine. À partir de 1638, le Japon interdit l'accès de ses ports à l'Occident. Son isolement durera plus de deux siècles. Seule la Chine peut alors fournir du thé aux Hollandais. Mais les Chinois les chassent de Formose (Taiwan). La compagnie anglaise s'active. L'année 1669 voit le premier débarquement d'une de ses cargaisons de thé à Londres. Un monopole de plus d'un siècle s'installe. Le commerce du thé démarre, les taxes suivent. Dès 1660, le thé vendu dans les cafés et les tavernes est frappé d'un impôt qui subsistera jusqu'en 1689, date à laquelle une livre de thé ordinaire coûtait à un ouvrier anglais une semaine de salaire. Il est remplacé par une nouvelle

taxe à l'importation mais leur multiplication et leur caractère excessif favorisent la contrebande. De 50 à 75 % du thé est importé de façon illégale. Du moins est-il plus accessible aux couches populaires, même s'il est de qualité médiocre. En 1784, les taxes baissent enfin. La consommation officielle explose. Elle était de 65 kg en 1699, de 2 tonnes en 1769, elle passe à 30 tonnes en 1701, à 6 800 tonnes en 1791 (ces chiffres ne tenant pas compte du thé de contrebande). L'enjeu économique est immense, il est essentiel d'assurer l'approvisionnement de cette manne. L'East Indian Company s'en charge.

En 1684, elle réussit à implanter un poste commerçant anglais à Canton. Très vite, le thé représente 90 % des exportations chinoises vers l'Angleterre. Mais la Chine impose ses règles : prélèvement d'une commission, refus d'importer les textiles anglais, accès à d'autres ports interdit. Les Anglais ne l'entendent pas ainsi, le conflit est ouvert. Ils décident d'envahir le marché chinois avec de l'opium qu'ils importent à partir de leurs comptoirs indiens. Cette drogue leur fournit une monnaie d'échange avantageuse. L'opium était certes produit et consommé dans la province du Sichuan mais son mélange avec du tabac à fumer généralise l'usage. L'économie et la société chinoises en sont bientôt empoisonnées. La colonie britannique de l'Inde, elle, prospère grâce à l'écoulement de la production des champs de pavot indiens.

SUR LA ROUTE DES CARAVANES

Pendant ce temps, une autre route du thé se dessinait. En 1689, la frontière entre la Russie et la Chine est définie par le traité de Nerchinsk et permet l'organisation d'un commerce par caravanes entre les deux pays. Une voie terrestre s'ouvre enfin. Les caravanes partent de Moscou, 200 à 300 chameaux les composent. Six mois leur sont nécessaires pour parvenir à la frontière chinoise, à Kietha (ou Kiakhta), petite ville de 5 000 habitants qui organise en décembre une grande foire marchande où Russes et Chinois se rencontrent. Des fourrures y sont échangées contre du thé. Les bêtes chargées mettent encore six mois pour regagner Moscou. Le thé est vendu un an et demi après avoir été cueilli. En 1817, une seconde foire s'ouvre à Nijni-Novgorod (auj. Gorki). Elle se tient en juillet. Le transport entre Kietha et ce grand port fluvial, au confluent de la Volga et de l'Oka, dure deux ans par voie terrestre, trois ans en empruntant les canaux et les rivières. Le thé, hors de prix, est réservé à l'aristocratie mais la consommation annuelle augmente considérablement en 1800 (les caravanes passent de 600 chameaux en 1700 à plus de 6 000 en 1800).

LE SAMOVAR

Au XIXᵉ siècle, en Russie, le thé, hors de prix, est encore réservé à l'aristocratie.

La Russie exporte le thé pour la Suède, le Danemark et le nord de l'Allemagne actuelle. L'accès des ports chinois aux navires russes, puis, à l'aube du XXᵉ siècle, l'ouverture du transsibérien réduisent à quelques jours le temps de transport du thé et portent un coup fatal aux caravanes.

LE THÉ, UN PRÉTEXTE À LA GUERRE DU NOUVEAU MONDE

En 1647, le Hollandais Peter Stuyvesant arrive aux Amériques et assure sa prospérité en faisant le commerce du thé dans les grandes villes côtières des treize colonies de la Nouvelle Angleterre. La « civilisation du thé » américaine va naître. Au fil des années, à New York, à Philadelphie, à Boston, l'élite participe à des *tea parties*, les Américains ne peuvent plus se passer de thé, et ce besoin est savamment entretenu par la British East Indian Company, même si le thé importé à New York provient principalement de la contrebande hollandaise. En 1773, la Compagnie obtient du gouvernement anglais le monopole du commerce du thé dans les colonies. Désormais, c'est elle qui choisira les vendeurs américains. Beaucoup, de ce fait, sont exclus du système officiel et vont gonfler les rangs des négociants contrebandiers et ceux des mécontents, surtout. Pour remplir ses caisses vidées par la guerre de Trente Ans, la Couronne avait déjà imposé à sa colonie, en 1767, une nouvelle taxe sur les importations de thé (le *Townsend Act*) qui avait échauffé les esprits. Une campagne de boycott du thé anglais avait été menée.

TEA ACT

Le 16 décembre 1773, les habitants de Boston, déguisés en Indiens, jettent à la mer une cargaison anglaise de thé.

À l'époque, celui-ci est le troisième produit importé par l'Amérique, après le textile et les produits manufacturés. Le *Tea Act*, promulgué également en 1773, et ses nouvelles mesures douanières font déborder la coupe. Le 16 décembre à Boston, plusieurs dizaines d'hommes armés déguisés en Indiens (peut-être les membres d'une loge maçonnique influente, proche de Benjamin Franklin) jettent à la mer 342 caisses de thé que trois navires anglais tentent de débarquer. C'est ce qu'on appellera la *Boston tea party*. Les hostilités sont déclenchées. Londres répond par des lois répressives. D'autres incidents patriotiques suivent. La guerre d'Indépendance n'est pas loin.

LES GUERRES DE L'OPIUM : 1840-1842 ET 1856-1860

Pendant ce temps, les Chinois subissent également les mesures coercitives anglaises. L'opium, s'il enrichit l'Empire britannique, ruine la Chine, qui se décide à réagir. En 1800, elle en interdit l'importation. Les trafiquants trouvent la parade : l'opium ne sera plus débarqué à Canton mais dans une île qui lui fait face. Son commerce, débarrassé des taxes d'importation, prospère. En juin 1839, un envoyé extraordinaire de l'empereur saisit 20 000 caisses de contrebande et les brûle. L'Angleterre réagit à l'offense. Elle déclenche une suite d'opérations militaires, entre 1840 et 1842, appelées « première guerre de l'opium ». Celle-ci se termine par le traité de Nankin. La Chine cède à l'Angleterre l'île de Hongkong, lui ouvre ses ports de Canton, Shanghai, Ningbo, Amoy et Fuzhou, limite enfin ses tarifs douaniers à 5 %. Les résidents étrangers échappent à la juridiction chinoise. Quelques années se passent et, devant ce qu'ils considèrent comme de la mauvaise volonté chinoise, les Anglais rouvrent les hostilités. La « seconde guerre de l'opium » est déclarée en 1856. La France participe au conflit. La ville de Pékin est pillée. Signé en 1860, le traité de Tianjin ouvre onze nouveaux ports chinois au commerce étranger et permet aux missionnaires de résider en Chine intérieure. Les délégations étrangères sont dorénavant admises dans la capitale chinoise et les navires de guerre peuvent utiliser les voies fluviales. Le commerce de l'opium redevient légal. En 1878, 120 millions de Chinois sont opiomanes. La domination anglaise sur l'empire du Milieu est confortablement établie.

LES ARMES DU COMMERCE : LES CLIPPERS

Tant que la Compagnie des Indes possède le monopole du transport du thé vers l'Angleterre, la vitesse des bateaux n'est pas un critère déterminant, même si les six mois de voyage altèrent la qualité de cette denrée fragile. Elle préfère assurer les cargaisons avec de gros et courts navires, appelés les **Indiamen.** Ils sont lents mais lui permettent d'échapper à la taxe anglaise, déterminée en fonction de la longueur des bateaux.

Or, les Anglais décident de supprimer ce monopole en 1834. Les Américains y voient l'opportu-nité de pénétrer le marché britannique. La concurrence aidant, être le premier sur le marché devient une priorité absolue, d'autant que l'ouverture du port chinois de Fuzhou, plus proche que celui de Canton des principaux lieux de production, autorise le commerce du thé issu des premières récoltes de l'année. Ces dernières, abondantes et de bonne qualité (**First Crop** Leaves), sont très recher-chées par les amateurs. Les **clippers,** voiliers américains, font leur apparition. Ce sont des bateaux fins et rapides, à l'importante voilure. Le nom se traduit littéralement par : « qui coupe les flots ». Le premier

LE THERMOPHYLAE

L'apparition des clippers au XIXᵉ siècle révolutionne le transport du thé par mer.

né, baptisé *le Rainbow* (l'Arc-en-ciel) prend la mer en 1845. Le coût élevé de sa fabrication est amorti en un seul voyage, de New York à Hongkong. En 1850, le clipper *l'Oriental* est le premier bateau américain à pénétrer dans le port de Londres, qu'il a rallié à partir de Hongkong en 95 jours, économisant deux semaines sur le temps de trajet habituel. Sa cargaison de thé est la seule sur le marché et ses propriétaires, qui ne sont inquiétés par aucune concurrence, réalisent un bénéfice substantiel.

La riposte ne se fait pas attendre et une guerre commence, plus pacifique, celle-là, une guerre de vitesse entre les Américains et les Britanniques. Ces derniers décident de construire des clip-pers à leur tour. Les *Tea Clippers,* rivalisant de vitesse, se livrent à des courses acharnées sur les océans. Mais l'ouverture du canal de Suez, en 1869, puis l'apparition des bateaux à vapeur augureront leur déclin.

IMPORTER, C'EST BIEN, PRODUIRE, C'EST MIEUX

Le thé est source d'immenses profits pour ceux qui en font le négoce, mais pourquoi l'importer à grands frais et non pas le produire ? Au XVIIIᵉ siècle, les Européens rêvent d'acclimater cette plante précieuse. Les botanistes vont vivre leur heure de gloire. Encore faut-il s'approprier les graines puis découvrir le secret de leur culture. Et les Chinois n'entendent pas révéler leurs secrets. Tout commence en Suède avec Linné, mais les particularités du climat ne sont guère propices au développement du théier. Les premières tentatives hollandaises d'implantation du thé à Java se soldent également par un échec. La France s'en mêle tardivement et veut faire pousser des théiers... dans le Finistère !

Ce n'est pas la supériorité de leurs talents mais l'étendue de leurs colonies qui va permettre aux Anglais de transformer l'essai. Encore n'est-il tenu compte que d'un seul aspect du défi : le théier poussera bien hors de Chine mais sous d'autres latitudes que celles de la vieille Europe.

UNE TIMIDE ENTRÉE EN SCÈNE DE L'INDE

Dès le XVIIIᵉ siècle, les relations commerciales avec la Chine posent problème aux Anglais. Le traité de Paris, qui met fin à la guerre de Sept Ans en 1763, donne à l'Angleterre, outre le Canada, les possessions françaises en Inde. La colonisation britannique va s'y intensifier, tout comme la culture et le commerce du thé. En 1788, le botaniste Joseph Bank fait parvenir des plants de thé chinois à Calcutta où quelques-uns parviennent à s'acclimater. Cela ne suffit pas pour décider la Compagnie des Indes orientales à en entreprendre la culture, faute de savoir-faire. La conquête de l'**Assam** permet alors au major Robert Bruce de découvrir, en 1823, des étendues de théiers

> **CUEILLETTE DU THÉ**
> *En 1848, Robert Fortune parcourt la Chine pour y recueillir les secrets de la culture du thé.*

poussant à l'état sauvage dans cette région du nord de l'Inde. Il est grand temps d'acquérir les moyens et les méthodes que détiennent les Chinois et de percer les mystères du thé. Pour ce faire, en 1834, le gouverneur de l'Inde crée le Comité du thé et le charge d'envoyer en Chine des émissaires capables de ravir son secret à l'empire du Milieu. Son rôle officiel est d'étudier toutes les possibilités de plantation, d'exploitation et de commercialisation du thé.

LES FOLLES AVENTURES DE ROBERT FORTUNE

Mais, avant toute chose, il s'agit de mettre en œuvre une rocambolesque opération d'espionnage, qui est confiée au botaniste écossais Robert Fortune, en 1848. Celui-ci, au service de Sa Majesté, rasé, déguisé en Mandchou, se rend en Chine, où il a déjà voyagé, afin de dérober les secrets de la fabrication du thé. Il part de Shanghai en chaise à porteur, parcourt les routes et

Musée du the Mariage Frères

les chemins du Céleste empire, s'introduit dans des fermes où l'on produit le thé, y recueille des semences qu'il étiquette le soir et fait acheminer avec le plus grand soin vers les jardins botaniques de Calcutta ou de Londres. Il note soigneusement dans son journal les informations relatives à la culture et à la manufacture du thé. Un moine bouddhiste lui fait découvrir l'importance de l'eau utilisée pour l'infusion des feuilles. Après de multiples péripéties, il rentre enfin à Calcutta, ramenant avec lui quatre-vingts manufacturiers chinois et vingt mille pieds de théier qui seront répartis dans les **« jardins »** de l'Inde. Il n'y a plus de mystère du thé.

L'INDE OU CE QUE PLANTER VEUT DIRE

En 1829, le général Lloyd découvre sur les contreforts de l'Himalaya le site de **Darjeeling**, dont le nom signifie en tibétain « la Terre des foudres », aux confins du Népal, du Tibet et de l'Inde. Il y pousse des théiers sauvages. En 1835, les Britanniques l'annexent. Les premières plantations de théiers y apparaissent en 1856. Robert Bruce entre-temps est mort.

Charles Alexandre Bruce, son frère, parvient à organiser des plantations expérimentales dans la jungle du Haut-Assam (chère à Rudyard Kipling). Il commence par défricher, puis il construit les premières *factories* (manufactures) indiennes. En 1836, il expédie à Calcutta la première production de thé d'Assam. Il semblerait toutefois que plusieurs tribus vivant dans cette région aient en un temps reculé possédé le secret du thé tellement convoité.

MANUFACTURE

Les premières manufactures de thé apparaissent en Inde dans la seconde moitié du XIXᵉ siècle.

L'année 1839 voit la première vente à Londres de thé indien d'Assam. Son goût plus prononcé que celui des thés chinois est apprécié. C'est un succès commercial. L'Assam Company est alors fondée. Elle procède à la création systématique de cultures dans la région et les commercialise. De nouvelles entreprises de plantations sont menées dans les régions de Cachar, Silhet, **Dooars**, **Terai**, **Nilgiri**, etc. Quant à **Ceylan** (devenue indépendante en 1948, elle prendra le nom de Sri Lanka en 1972), elle est d'abord plantée de caféiers, qui vont faire sa richesse dès 1825. Mais ces plantations sont dévastées par la rouille entre 1865 et 1890, période à laquelle le café n'existe pratiquement plus dans l'île. De timides essais de culture du théier étaient menés depuis 1860. La production de thé va bientôt remplacer celle du café. La première cargaison est enregistrée en 1872. En 1907, 150 000 hectares sont occupés par les théiers. L'Angleterre a gagné son pari.

PRODUCTION ET CONSOMMATION DE THÉ DANS LE MONDE

Déjà dans l'Angleterre victorienne, on a pris l'habitude de boire le thé l'après-midi, accompagné d'une collation. Cette pause a même été instaurée dans les entreprises. Le *tea time* ou *five o'clock tea* est devenu une institution. Les *tea houses* se sont multipliés, offrant *scones, muffins, crumpets marmelade* et *cake* à la gourmandise de leurs clients. Dès 1887, les importations en provenance des colonies anglaises sont plus importantes que celles de Chine.

De nos jours l'Inde reste le plus grand exportateur de thé du monde (34 %), suivi par la Chine (19 %), le Sri Lanka (11 %) et le Kenya (10 %), puis l'Indonésie, le Pakistan et Taiwan. La production mondiale était de 1 845 000 tonnes en 1981 dont plus de 1 450 000 tonnes provenaient de la seule Asie. Le thé est la boisson la plus consommée au monde après l'eau. L'Irlande en est la plus grande consommatrice avec 3,6 kg de thé par an par habitant, suivie par l'Angleterre, la Nouvelle-Zélande et le Canada. En Europe, par exemple, la consommation des Allemands est de 1 kg tandis que celle des Français atteint à peine 230 g (même si, en 1998, les ventes de thé ont augmenté en France de 8 % en volume et de 16 % en valeur).

LE THÉ DANS TOUS SES ÉTATS*

Les Tibétains ont donné l'exemple en ajoutant du beurre et du sel à leur thé. Déjà au XIXᵉ siècle, les Scandinaves buvaient le thé mélangé à du bordeaux en égale proportion. Les Russes, quant à eux, l'additionnent de vodka... Le thé sert à la préparation de nombreux cocktails avec sirops (fraise, framboise ou grenadine) ou jus de fruits (orange, citron, ananas), avec certaines épices (cannelle, clou de girofle, noix de muscade ou gingembre), avec du rhum, du champagne, du cognac... pour les versions plus alcoolisées. Le thé se boit même glacé. Le début des années 1990 voit l'invasion de nos marchés par les canettes, bouteilles et autres packs de thé dans tous ses états : aromatisé, glacé, pétillant. Les ventes de ces produits sont estimées pour l'an 2000 à 2 500 millions de litres en Europe. C'est dire si en matière de thé règnent la fantaisie et les accommodements à côté de la plus pure orthodoxie.

Il aura fallu attendre la fin du XXᵉ siècle pour que le consommateur européen comprenne qu'il existe des grands crus pour le thé. Ils sont même plus nombreux et variés que ceux du vin. Plusieurs milliers de noms de thés sont répertoriés dont 1 500 pour le seul thé vert. Certains thés proviennent d'arbres millénaires. D'autres sont vieillis plusieurs dizaines d'années, voire même un siècle. La production de certains thés rares n'excède pas 300 kg, 6 kg, 50 g même pour un Bai Hao 1995. Évidemment, le prix de ces thés est calculé à l'aune de leur rareté. Les crus de qualité se vendent entre 1 500 et 60 000 F/kg. Un authentique Dong Ding, dont la production est de 210 kg, sera vendu 90 000 F/kg.

*Ces chiffres sont extraits du livre de : Dominique T. Pasqualini, *Le Temps du thé*, éditions Marval, 1999.

VOIR

DE PARIS À PÉKIN, DU PAKISTAN AU RAJASTHAN, DANS LE MONDE ENTIER,
L'HEURE DU THÉ EST UN INSTANT SACRÉ ET RESPECTÉ.
VOYAGE INITIATIQUE À LA DÉCOUVERTE DE COUTUMES AFRICAINES,
DE CÉRÉMONIES JAPONAISES OU D'HABITUDES BRITANNIQUES.
LES GESTES SONT ÉTERNELS…

« Mon enfance, telle qu'en elle-même, ait dans une théière. Que je boive ou suce le thé, c'est la même chose.

Ah ! le "ahh…" par lequel nous avons tous commencé à jouir du thé… La théière par elle-même ne rend aucun son, …

mais inclinée au-dessus de la coupe, en revanche, elle chante. Et le périple de cette parole chantée commence

autour de la sinya (le plateau circulaire) ne se mettent à parler la parole de la théière a déjà circulairement chanté ...

dans les verres et c'est alors seulement que, les langues désormais déliées, les mots vont rondement

autour de la sinya, autour de la terre... La théière est un monde. Une fois ouverte, elle réveille odeurs

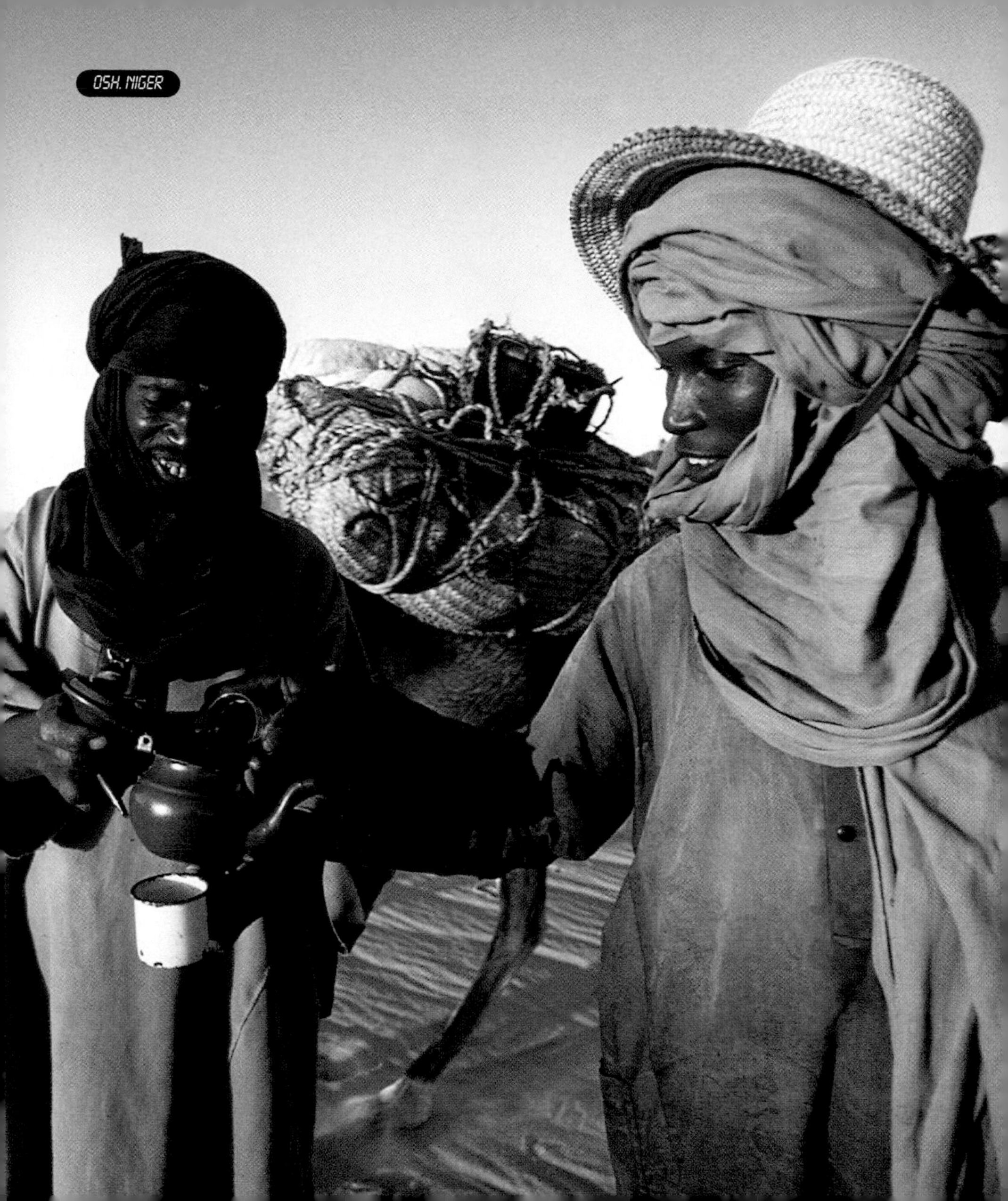
05H. NIGER

parfums et couleurs de la terre, le sucre des gens et leur joie, leurs paroles, Je me vois proche de l'artisan

inséparable de son verre de thé, presque confondu avec les petits motifs floraux sortis de sa main ...

qui ne sont autres que ces grains de thé et ces feuilles de menthe. C'est pourquoi tout le Maroc m'est apparu...

concentré dans le bazar. » Abdallah Zrika La cérémonie du thé, in *Regard sur la culture marocaine* n°1 (voir p.117)

AGIR

ENTRE THÉS VERTS ET THÉS NOIRS, DARJEELING ET YUNNAN,
QUELLE VARIÉTÉ CHOISIR ? COMMENT PRÉPARER L'INFUSION,
CONSERVER LES FEUILLES... QUELLE THÉIÈRE UTILISER ?
LE THÉ EST BON POUR LA SANTÉ, IL EST BON AUSSI DANS LA CUISINE :
PETIT FLORILÈGE DE RECETTES SALÉES ET SUCRÉES.

Comment cultiver le théier

Le théier est un arbuste
à feuilles persistantes
de l'ordre des guttiférales,
de la famille des théacées,
du genre *camellia*.

Une seule espèce, une multitude de jardins

Le théier est cultivé dans des plantations
appelées « jardins », dont la superficie
varie entre un et mille hectares.
À l'état sauvage, il peut atteindre 15 mètres,
presque 20 mètres pour la variété
d'**Assam**, en Inde. Aujourd'hui, une seule
espèce resterait cultivée, le *camellia
sinensis*, mais sous forme de nombreuses
variétés (près de 260 en Chine sur
380 répertoriées). Robert Fortune établit
en 1843 que les thés **vert** et **noir** étaient
issus de la même plante, leurs différences
provenant de leur transformation
après récolte.

IL FAUT 4 ANS POUR QU'UN
THÉIER DEVIENNE PRODUCTIF.
LES PLUS VIEUX THÉIERS
(100 OU 200 ANS) DONNENT
LES MEILLEURS RENDEMENTS.

Taille et cueillette

Le théier est productif
pendant une
cinquantaine d'années,
voire plus. Deux à trois
tailles de l'arbuste sont
nécessaires pour
renforcer le tronc,
d'autres suivront, liées
à la production, afin
que la cueillette se fasse
à hauteur d'homme,
soit environ un mètre.
Dans la plupart des pays,
excepté au Japon, la
cueillette se fait encore à
la main et généralement
par les femmes, sauf
en Afrique.

Climat et altitude

Le théier pousse bien
dans les sols acides
des régions chaudes
et très humides
(au moins 1 500 mm
de pluie par an).
Les zones de haute
altitude (jusqu'à
2 500 mètres), situées
entre 43° de latitude nord
et 27° de latitude sud,
avec l'alternance
de journées chaudes
et de nuits fraîches,
lui conviennent
particulièrement.

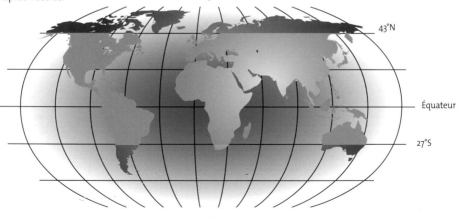

43°N

Équateur

27°S

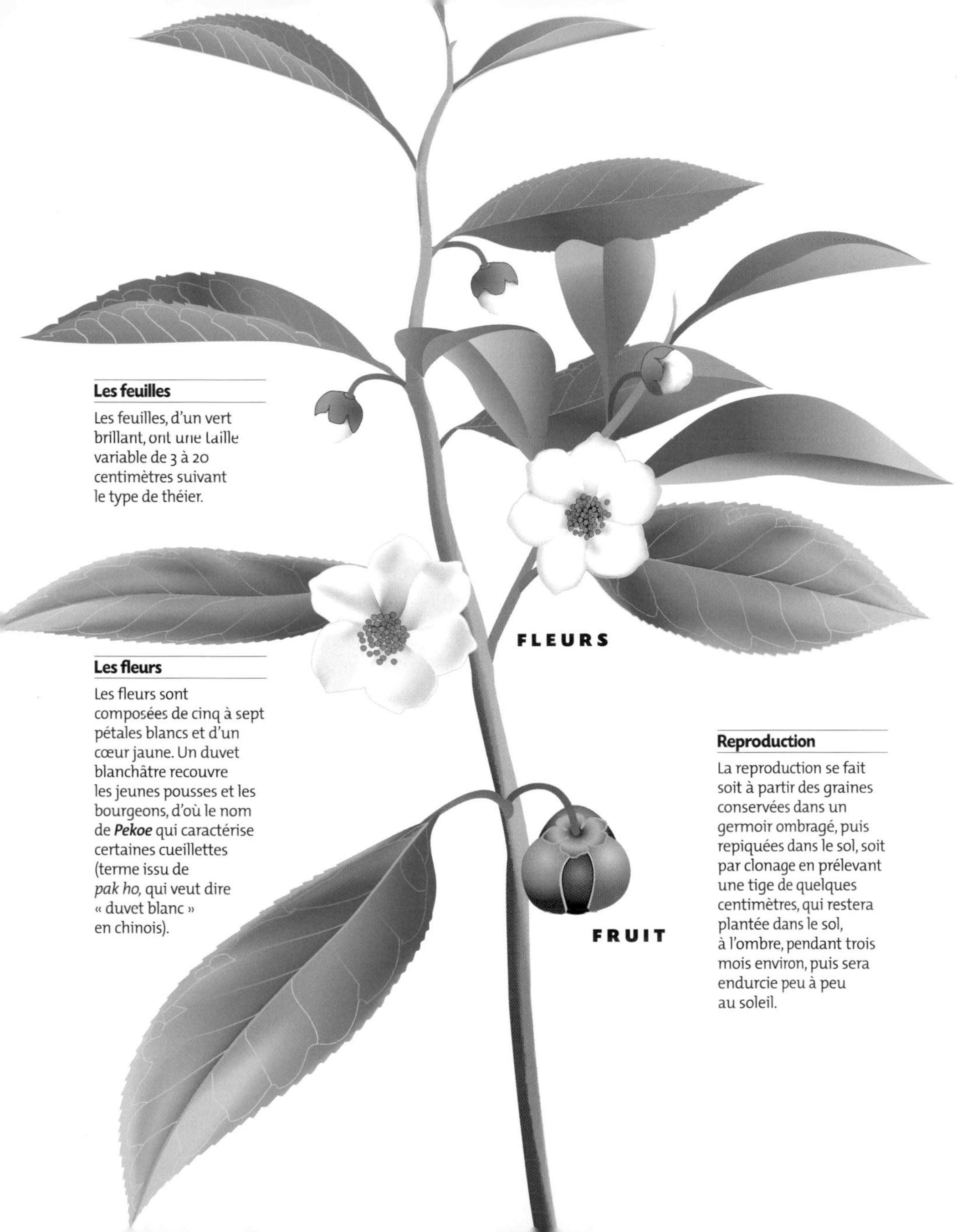

Les feuilles

Les feuilles, d'un vert brillant, ont une taille variable de 3 à 20 centimètres suivant le type de théier.

Les fleurs

Les fleurs sont composées de cinq à sept pétales blancs et d'un cœur jaune. Un duvet blanchâtre recouvre les jeunes pousses et les bourgeons, d'où le nom de *Pekoe* qui caractérise certaines cueillettes (terme issu de *pak ho*, qui veut dire « duvet blanc » en chinois).

FLEURS

FRUIT

Reproduction

La reproduction se fait soit à partir des graines conservées dans un germoir ombragé, puis repiquées dans le sol, soit par clonage en prélevant une tige de quelques centimètres, qui restera plantée dans le sol, à l'ombre, pendant trois mois environ, puis sera endurcie peu à peu au soleil.

Une affaire de qualité

Que ce soit en Chine, en Inde ou ailleurs, le thé est récolté selon les mêmes règles. Les jeunes pousses et les bourgeons situés au bout des branches sont les plus riches en théine, en tannins, minéraux et vitamines, les plus délicats en saveur.

En Inde

La première récolte ou *First Flush* se fait entre le 15 mars et le 15 mai. À ce stade, elle est de grande qualité mais de faible volume. Les feuilles basses qui se rapprochent du tronc sont plus grandes et de moindre valeur. Elles donnent des thés légers avec beaucoup d'arômes.
La *Second Flush*, donne des thés de très bonne qualité, que l'on trouve en Europe vers la fin octobre (la meilleure période pour l'acheter). La *Third Flush* donne des feuilles moins belles mais d'une qualité encore acceptable.

En Chine

Il y a trois récoltes principales. La première au printemps, *First Crop*, est la plus abondante mais aussi la meilleure.
Viennent ensuite la *Second Crop* et la *Third Crop*, de moindre qualité.
Il se peut que les récoltes soient mélangées mais il est également possible de trouver des thés de Chine de première récolte.

Cueillette impériale (P + 1)

C'est la récolte d'un morceau de tige comprenant le bourgeon terminal (**pekoe** ou P) et une feuille. À l'origine destinée à l'empereur de Chine et à quelques hauts dignitaires, elle se faisait impérativement par de jeunes vierges qui, à l'aide de ciseaux en or, coupaient la tige sans la toucher et la faisaient tomber dans un panier également en or. Aujourd'hui cette récolte n'existerait plus.

Cueillette fine (P + 2)

Elle est faite du bourgeon terminal et de deux feuilles. C'est la meilleure qualité que l'on puisse trouver actuellement sur le marché.

Cueillette grossière (P + 3)

On retire le bourgeon et trois feuilles. C'est la plus courante et de qualité moyenne.
On trouve des récoltes P + 4, voire plus, mais celles-ci sont de qualité très médiocre.

Cueillette des feuilles de thé à Sumatra.

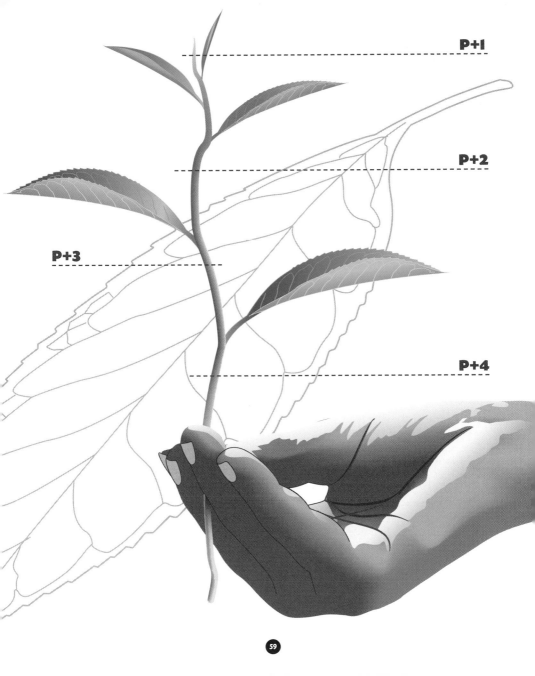

P+1

P+2

P+3

P+4

Les métamorphoses du thé

Les feuilles du théier
sont traitées dès leur
récolte dans des fabriques,
souvent édifiées sur le lieu
même de la production.
Au cours des phases
de la transformation,
le thé, issu d'une
même espèce, acquiert
ses caractéristiques
et sa personnalité.
Les thés verts ne subissent
aucune fermentation
et les Oolong sont très
peu fermentés.

2

LA FERMENTATION

*La préparation est
terminée. La feuille subit
alors un enchaînement
de réactions chimiques
complexes, responsables
de sa couleur noire.
Il s'agit d'une phase
d'oxydation enzymatique
dans un environnement
humide (90 à 95 %) et
à température constante
(22 °C). Trop fermenté,
le thé perd son caractère
astringent et sa feuille
a un aspect de brûlé ; pas
assez fermenté, son goût
est amer et sa feuille est
couleur brune verdâtre.*

1

LE FLÉTRISSAGE

*Cette opération permet
de ramollir la feuille et
consiste à lui faire perdre
entre 40 et 50 % de son
eau. Elle dure en général
de 18 à 20 heures.*

LE ROULAGE

3

Les feuilles passent dans des machines qui les enroulent dans le sens de la longueur, brisant leurs cellules pour en libérer les huiles essentielles.

LA DESSICCATION

4

C'est une phase délicate qui stoppe la fermentation au moment désiré.
Les feuilles sont soumises à une ambiance sèche et à une température élevée, jusqu'à ne conserver que 2 à 3 % d'humidité.

LE CRIBLAGE

5

(ou tamisage). Cette dernière opération consiste à trier les feuilles selon leur **grade**, (entières, brisées, broyées...)
puis selon leur taille, sur des tamis vibrants.
Le thé sera ensuite emballé dans des sacs de papier ou des caisses de bois, doublés par une couche d'aluminium.

LE THÉ EN BRIQUE

Le thé compressé sous forme de tablette, de galet ou de nids d'oiseau, est une tradition chinoise. C'est ainsi que le thé fut longtemps transporté à dos de chameau, sur la route des caravanes, vers le Tibet et la Russie, où il est toujours consommé ainsi. Certaines briques sont faites de débris de thé compactés, d'autres à partir des feuilles entières. Pour les consommer, on casse en petits morceaux quelques grammes et on les fait bouillir directement dans l'eau de 3 à 4 minutes.

61

Blanc, vert ou noir, les couleurs du thé

Les thés sont présentés selon la classification occidentale, qui les distingue en fonction de la couleur de leur feuille travaillée et de leur degré de fermentation, puis en fonction du grade, qui désigne la forme et la taille de la feuille. La plupart des thés sont des mélanges que l'on différenciera des thés purs, qui proviennent d'un seul jardin et que l'on appelle « Grands Crus » ou« Grands Seigneurs ».

VERT DE CHINE

Les thés verts

Ce sont des thés non fermentés, c'est-à-dire dont la **fermentation** naturelle a été stoppée. Pour ce faire, les Chinois jettent les feuilles fraîchement cueillies dans une bassine en cuivre chauffée à près de 100 degrés. Les Japonais, autres grands producteurs de thé vert, chauffent les feuilles à la vapeur dans une cuve puis les roulent à la main.

VERT DU JAPON

NOIR DU KENYA

NOIR DE CHINE

Les thés noirs

Ce sont des thés dont la fermentation, qui se fait en plusieurs étapes, accélère la transformation de la feuille et lui donne sa couleur noire.

Les thés
semi-fermentés

Intermédiaires entre les thés **noirs** et **verts**, les semi-fermentés sont appelés *Oolong* (« dragon noir » en chinois). En Chine, ils ont la réputation d'être dotés des meilleures vertus. Il existe deux types de **fermentation** : une première, de 10 à 15 %, qui donne des thés plus verts que noirs, provient de Chine ; une seconde, de 60 à 70 %, est pratiquée à Taiwan et donne des thés plus noirs que verts. Très appréciés, les *Oolong* ont le parfum du thé vert et l'arôme du thé noir.

LAPSANG SOUCHONG

ASSAM

Le thé blanc

Le thé blanc tire son nom de la couleur de sa feuille sur l'arbre, qui est blanche argentée, et du duvet blanc de son bourgeon. Il est rare et provient de la province du **Fujian**, en Chine. Il est aussi très naturel, uniquement flétri et séché. On en trouve deux variétés : le *Yin Zhen* (Aiguille d'argent) et le *Bai Mu Tang* (Pivoine blanche).

DARJEELING

THÉ BLANC

OOLONG

Les grades du thé noir

Les thés noirs sont classés en trois grandes catégories : thés à feuilles entières, thés à feuilles brisées, thés à feuilles broyées.

Les thés à feuilles entières

Le *Flowery Orange Pekoe* (FOP) est issu de la cueillette fine. Ses feuilles, roulées dans le sens de la longueur, mesurent environ 6 mm.

Le *Golden Flowery Orange Pekoe* (GFOP) est un FOP avec bourgeons et feuilles à pointes dorées (**golden tips**).

Le *Tippy Golden Flowery Orange Pekoe* (TGFOP) est un FOP avec beaucoup de pointes dorées. Le *Finest Tippy Golden Flowery Orange Pekoe* (FTGFOP) est un FOP d'exceptionnelle qualité.

L'*Orange Pekoe* (OP) est issu de la cueillette plus tardive des feuilles fines (sans bourgeon), longues, un peu plus grandes que les FOP, aiguillées et roulées dans le sens de la longueur. Le bourgeon terminal s'étant transformé en feuille, il y a très peu de pointes.

Le *Flowery Pekoe* (FP) a des feuilles roulées en boule qui donnent une liqueur corsée.

Le *Pekoe* (P) possède des feuilles plus courtes et moins fines que les OP (sans pointes). Le *Pekoe Souchong* (PS), aux feuilles courtes et grossières, a peu d'arôme. Le *Souchong* (S) a de grosses feuilles roulées dans le sens de la longueur. Faible en théine, il est vendu sous la forme de thé de Chine fumé.

Thés à feuilles broyées

Les *Fanning* sont issus de petits morceaux de feuilles d'environ 1 à 1,5 mm. Ils sont plus corsés, utilisés pour les sachets (mais moins que les *Broken*). Leur classification est la même : *Golden Orange Fanning* (GOF), *Flowery Orange Fanning* (FOF), *Orange Fanning* (OF), *Pekoe Orange Fanning* (POF).

Thés à feuilles brisées

Les thés brisés ne sont pas de moindre qualité puisqu'ils proviennent de feuilles souvent entières que l'on brise. Leur surface de contact avec l'eau étant plus importante, les liqueurs seront plus corsées. Un exemple : le *Broken Orange Pekoe* (BOP).

Flowery Orange Pekoe

FOP

Golden Flowery Orange Pekoe

GFOP

Tippy Golden Flowery Orange Pekoe

TGFOP

Finest Tippy Golden Flowery Orange Pekoe — **FTGFOP**

Pekoe — **P**

Flowery Orange Fanning — **FOF**

Orange Pekoe — **OP**

Broken Orange Pekoe — **BOP**

Orange Fanning — **OF**

LES DUST

Ils sont plus fins que les Fanning et généralement utilisés eux aussi pour le thé en sachet. Le fait que dust veuille dire poussière en anglais ne signifie pas que ce soit du mauvais thé. Il s'agit simplement d'un mode de préparation. On trouve d'excellents crus sous les désignations Fanning et Dust.

Flowery Pekoe — **FP**

Golden Orange Fanning — **GOF**

Pekoe Orange Fanning — **POF**

LES CTC

Les Crushing, Tearing, Curling ont subi les opérations de broyage, déchiquetage et dessiccation. Naguère réservé aux feuilles grossières du thé d'Assam, ce procédé s'applique désormais aux feuilles de qualité et produit alors de belles liqueurs colorées. Il est de plus en plus utilisé.

Les grades du thé vert

Les grades des thés verts sont les suivants : le Gunpowder, le Natural Leaf, le Chun-Mee et le Matcha.

Le Gunpowder

Le *Gunpowder* est issu d'une première cueillette. Les jeunes feuilles sont sélectionnées et roulées pour former des boules de la taille d'une tête d'épingle *(Pin Head)*, jusqu'à 3 mm de diamètre, ressemblant à de la « poudre à canon » (traduction littérale du terme). C'est un excellent thé vert.

Le Matcha

Le **Matcha** est un thé vert (un *Gyokuro* ou un *Sencha*) réduit en poudre. Les feuilles sont séchées, passées à la vapeur pour être coupées en morceaux *(Tencha)* puis à nouveau séchées pour être réduites en poudre au moyen d'une meule en pierre. Ce procédé donne un thé au goût fort et amer. Utilisé par les Japonais pour la cérémonie du thé *(chanoyu)*, il est battu jusqu'à l'apparition d'une mousse de jade. Il faut en utiliser très peu, environ 1 g pour 6 à 10 cl d'eau à 60-70 °C.

Le Chun-Mee

Le *Chun-Mee* est un excellent thé composé de feuilles de 8 à 12 mm, roulées dans le sens de la longueur.

Le Natural Leaf

Le *Natural Leaf* provient de Chine ou du Japon. La feuille reste à l'état naturel, entière. Le thé qui en résulte est très doux.

Le thé vert au Japon

Le Japon, au septième rang mondial, ne produit plus que du thé vert dont 97 % est consommé sur place. Ce thé est cultivé dans le sud de l'île principale de Honshu et sur les îles Shikoku et Kyūshū, surtout en altitude. L'exploitation des théiers, très résistants au froid, est faite par les paysans qui cultivent également le riz. Les récoltes y sont mécanisées mais celle des thés de la première cueillette se font manuellement. Travaillés à la vapeur, roulés en aiguille et séchés pour stopper leur *fermentation*, les thés verts doivent être consommés rapidement. Ce sont des thés stimulants et riches en vitamines C.

FEUILLES ENTIÈRES

POUDRE

FEUILLES ROULÉES

ZOOM SUR LE JAPON

*Les principaux thés du Japon sont le **Sencha**, qui représente 80 % de la production nationale, dont les feuilles plates sont coupées en petits morceaux et qui possède un goût particulier ; le **Genmaicha** (mélangé à du maïs ou du riz grillé) et le Night Shadow de la région du mont Fuji. Les meilleurs crus viennent de la région d'Uji dans l'île de Honshu, comme le **Gyokuro**, qui est un thé rare et précieux. Sa cueillette se fait à la main et uniquement en première récolte. Les théiers sont ombragés 3 semaines avant celle-ci, à l'aide de rideaux ou de pailles, afin d'obtenir plus de chlorophylle et de tannin.*

Mélangés, parfumés ou fumés ?

Parfum délicat de fleurs, subtiles saveurs de fruits et d'épices, les thés parfumés, aux arômes délicieusement exotiques, sont une incitation au voyage.

Thés parfumés

Le thé au jasmin provient principalement de la province du **Fujian** où il est fabriqué depuis des siècles. Il est préparé à partir de thé vert, qui est séché puis déposé au soir à côté de fleurs de jasmin fraîchement cueillies qui, en développant leurs arômes, vont parfumer naturellement le thé. Il est quelquefois directement mélangé aux fleurs. Ce n'est pas leur quantité alors qui importe mais leur qualité et leur fraîcheur. D'autres méthodes que celle utilisée de façon ancestrale par les Chinois prévalent souvent aujourd'hui. La plupart des thés que l'on trouve sur le marché sont aromatisés, sur les lieux mêmes de consommation, avec des essences pour les extraits de fleurs, des arômes montés sur alcool pour les fruits ou des huiles essentielles pour les agrumes.

Thé fumé

Faible en théine et très parfumé, il est fabriqué à partir des feuilles **Souchong**, torréfiées en wok, roulées, et fermentées, séchées au-dessus d'un feu de racines d'épicéa ou de cyprès. Les Chinois le réservent à l'exportation.

Bouquets, étoiles, bourgeons, perles, la beauté des formes s'allie au plaisir du palais.

Mélanges de thé

Les *blends* sont des assemblages de thés provenant de différents jardins d'une même région et recueillis à différentes périodes. Ils permettent de faire du sur mesure en définissant un goût, d'assurer la régularité de la production et de commercialiser des volumes importants. Citons parmi les mélanges les plus prisés : l'*English Breakfeast*, l'*Afternoon Tea*, le *Chine Caravane*…

Earl Grey

Adaptée d'une vieille recette chinoise, la fabrication du thé *Earl Grey* remonte au début du siècle. Il est aromatisé à la bergamote, agrume issu d'une hybridation de citronnier et de bigaradier. Les *Earl Grey* provenant de la province du **Yunnan** font partie des meilleurs, d'autres sont un mélange de thés d'origines diverses : thés de Chine, d'**Assam**, **Oolong** de Taiwan…

Il faut 100 kg de fleurs
de lotus pour parfumer
1 kg de thé !

VANILLE

GINGEMBRE

FLEUR D'ORANGER

CANNELLE

LOTUS

MENTHE

JASMIN

FRAMBOISE

NOIX DE COCO

Aux pays du thé

Si la majorité des thés vendus en France sont des mélanges, les magasins spécialisés offrent à une clientèle de plus en plus exigeante des thés « Grands Crus » ou « Grands Seigneurs », vendus sous le nom de leur jardin d'origine pour en garantir la provenance. Chaque pays producteur a ses grands crus, les plus fameux viennent de Chine, d'Inde, du Sri Lanka (thés de Ceylan) et du Japon.

Cultures étagées dans le sud de la Chine

L'Inde

L'Inde est devenue, devant la Chine, le premier producteur mondial de thé sous forme d'innombrables variétés.
Les principales régions productrices sont **Darjeeling**, **Assam**, Dooars, **Terai**, Kangra, Cachar, Travancore, Nilgri et Sikkim. Rien que dans l'Assam, un des États les plus sauvages du pays, on trouve plus de 1 900 jardins qui représentent 47 % de la production indienne.

Le Sri Lanka

Les régions productrices des meilleurs crus sont celles des **Uva**, de Nuwaraeliya, de Dimbulas de Ratnapura et de **Galle**.
Les plus grands jardins d'Uva produisent de très grands crus :
Uva Highlands (tous les grades), *Saint James* (OP et ***Fannings***), *Aislaby* (FP et *Fannings*) *Attempettia* (**BOP**), *Dyraaba* (BOP), *Roehampton* (BOP)...

La Chine

Les grands thés ne correspondent pas à des noms de jardins, excepté une infime production, mais à des qualités constantes et bien définies sous forme de standards qui portent un numéro, obtenus en mélangeant les productions des différentes plantations sous la responsabilité de la région d'origine. Cultivées dans 19 provinces et plus de 900 régions, les minuscules plantations sont regroupées dans des coopératives d'État. La Chine produit des thés noirs, mais aussi verts, semi-fermentés et fumés.

La production de thé dans le monde

Les productions sont exprimées en tonnes

▨	**de 0 50 000**
▨	**de 50 000 100 000**
▨	**de 100 000 500 000**

LA CULTURE DU THÉ
À CEYLAN

*Le thé de **Ceylan** est ramassé de façon traditionnelle par des femmes portant des hottes sur le dos, tout comme en Inde. Il représente plus de 50 % des thés noirs consommés en France dont près de la moitié entre dans la constitution des mélanges. Des théiers sont maintenus à l'état sauvage à distances régulières de manière à donner de l'ombre aux zones cultivées pour rendre la cueillette moins pénible.*

LE THÉ VERT EN INDE

*La cueillette et la préparation du thé **noir** ont conservé en Inde leur caractère artisanal mais on y trouve aussi depuis peu du thé **vert**, d'excellente qualité et élevé sans pesticide ni engrais, pour répondre à la demande occidentale. Les plus fameux jardins sont Castleton, Jungpana, Margaret's Hope, Namring, Lingia, Seeyok, Risheehat et Bannockburn.*

Des jardins par milliers

Des jardins de Darjeeling aux vastes plantations du Sri Lanka, producteur du thé de Ceylan, le thé n'a cessé de conquérir de nouvelles terres.

Darjeeling, le Grand Seigneur de l'Inde

Les plantations sont situées sur le versant sud de la montagne, entre 1 000 et 2 134 mètres d'altitude, les températures y varient de 8 à 25 °C en moyenne. Elles jouissent d'un climat chaud et humide pendant la mousson, propice au développement du théier.

Le thé **Darjeeling** serait selon certains le « Grand Seigneur » de l'Inde, même s'il ne représente que 2 % de la production nationale. C'est au pied de l'Himalaya et sur ses contreforts que s'étend « la Terre des foudres », traduction du nom tibétain de Darjeeling, capitale du Bengale.

Les thés qui sont vendus sous le nom générique de Darjeeling sont des mélanges qui proviennent de différents jardins. On leur préférera ceux qui portent le nom de leur **jardin** d'origine. Certains atteignent des prix astronomiques.

Les thés de Ceylan

Ce sont les Britanniques qui implantèrent les théiers à Ceylan (auj. Sri Lanka) au milieu du XIXe siècle. Mais il fallut attendre 1860 pour qu'un jeune Écossais de 26 ans, James Taylor, plante des graines sur huit hectares et entame la production de thé à Ceylan. Il fut vite suivi par d'autres exploitants, puis par Thomas Lipton qui, à partir de 1890, racheta à bas prix les plantations de café, décimées par la rouille.

On distingue trois catégories en fonction de l'altitude des plantations, qui s'étagent du niveau de la mer jusqu'à 2 500 mètres, principalement au sud de l'île : les **Low Grown** (LG) en dessous de 600 mètres d'altitude, de qualité très moyenne, achetés pour moitié par les autres jardins, les **Mid Grown** (MG), de 600 à 1 200 mètres, de très bonne qualité et les **High Grown** (HG) au-dessus de 1 200 mètres, d'excellente qualité.

Chine

Pakistan

Delhi

Bhoutan

Darjeeling

Inde

Calcutta

Bangladesh

Bombay

Mer d'Oman

Golfe du Bengale

Madras

Sri Lanka

Le thé de **Ceylan** est ramassé de façon traditionnelle par des femmes portant des hottes sur le dos, tout comme en Inde. Il représente plus de 50 % des thés noirs consommés en France dont près de la moitié entre dans la constitution des mélanges. Des théiers sont maintenus à l'état sauvage à distances régulières de manière à donner de l'ombre aux zones cultivées pour rendre la cueillette moins pénible.

LE THÉ VERT EN INDE

La cueillette et la préparation du thé **noir** ont conservé en Inde leur caractère artisanal mais on y trouve aussi depuis peu du thé **vert**, d'excellente qualité et élevé sans pesticide ni engrais, pour répondre à la demande occidentale. Les plus fameux jardins sont Castleton, Jungpana, Margaret's Hope, Namring, Lingia, Seeyok, Risheehat et Bannockburn.

Le thé à la russe

Le thé que l'on nomme Goût russe n'a rien à voir avec le thé russe. Le thé à la russe est en général un thé noir qui se déguste autour d'un samovar, chauffant et maintenant l'eau à température.

Un thé concentré

Le thé fit son apparition vers le milieu du XVIIe siècle dans l'Empire, mais les Russes le consommaient alors principalement dans les villes et surtout à Moscou. Sa consommation se généralisa au XIXe siècle. Le thé russe, extrêmement concentré, est versé dans la tasse où l'on ajoute de l'eau chaude. Il se boit avec un morceau de sucre entre les dents, du miel ou de la confiture.

La préparation du thé
dans les steppes
de Mongolie

IMPRESSION DE RUSSIE

La nuit tombait, et, sur la table,

Brillait, chuintait le samovar,

Nimbé d'une vapeur agréable,

Gardant au chaud le thé du soir.

Dans les tasses, au motif chinois,

Versé par la douce main d'Olga,

Le thé doré se répandait.

Un jeune garçon servait le lait.

Tania était à la fenêtre

Et sur la vitre errait son doigt,

Elle le suivait le regard las,

Et sur la buée voyait paraître

Le monogramme qu'il dessinait :

Un O, un E entrelacés.

A. Pouchkine, *Eugène Onéguine*,
traduit du russe par Nata Minor,
Le Seuil, 1990, p. 86.

Samovar

Samovar vient du russe *samo*, qui veut dire « par soi-même », et *varit*, qui signifie « bouillir ». Fabriqué en cuivre, en argent et parfois en or, il proviendrait de l'Oural et aurait été été inventé dans la première moitié du XVIIIe siècle. Le charbon de bois est installé dans sa partie inférieure et un tube prolonge le foyer de façon à chauffer la théière posée sur le dessus ainsi que les parois cylindriques contenant l'eau. Celle-ci, une fois à température, est versée dans la théière grâce à un robinet. Les habitués apprécient la température de l'eau à son chant dans le samovar.

LE THÉ EN RUSSIE AU XIXe SIÈCLE

Le thé est également fort populaire ; riches et pauvres en prennent plusieurs fois par jour. On le sert bouillant, sans lait et peu ou point sucré. Il est généralement bon ; on l'apporte directement de la Chine, en briques, pour qu'il tienne moins de place et soit moins exposé à s'éventer.

J. Boucher de Perthes, *Voyage en Russie,* 1859, *in Le Voyage en Russie,* anthologie des voyageurs français au XVIIIe et au XIXe siècle, Robert Laffont, coll. « Bouquins », 1990, p. 999.

Le thé à la mode de l'Orient

L'offrande du thé est un geste de bienveillance envers un étranger que l'on veut accueillir.

Les pays du Maghreb

Au XIXe siècle, à la suite de la guerre de Crimée, les Anglais, privés du marché slave, concentrèrent leurs efforts commerciaux vers les pays du Maghreb pour écouler leurs stocks de thé vert. Celui-ci fut adopté très rapidement et les hommes du désert inventèrent une cérémonie du thé, empreinte comme celle des Japonais de spiritualité car sa recette est considérée comme un « don d'Allah ».
Le samovar n'est pas un monopole russe, les Iraniens, les Turcs et les Maghrébins l'utilisent également.

Le Tibet

Les premières importations de thé au Tibet dateraient du VIIe siècle de notre ère. Il arrive des provinces chinoises du **Yunnan** et du Sichuan, à dos de yacks. La route est longue et difficile. Pour assurer la bonne conservation du thé, celui-ci est fabriqué sous forme de briques. C'est ainsi que les Tibétains le consomme encore aujourd'hui.

Le thé à la tibétaine

Le thé est broyé au mortier, bouilli avec de l'eau puis battu avec du beurre de yack et du sel. Les Tibétains y ajoutent parfois du gingembre, de l'écorce d'orange, des épices, du lait, voire de l'oignon. Il est le plus souvent servi dans un bol en bois. Une prière d'offrande est dite avant de boire. Le thé sert aussi de base à la fabrication du plat traditionnel fait de farine d'orge grillée et d'un peu de beurre si nécessaire. Les Kirghiz, les Mongols et les Népalais boivent également ainsi le thé, à quelques variantes près.

Trois infusions

L'usage est de boire trois thés, tout comme en Afrique. La première **infusion**, légère, symbolise la douceur de la vie.

La seconde, plus forte, rappelle le sucré de l'amour.

Enfin la dernière, plus astringente, symbolise l'amertume de la mort.

Le thé du désert

Le thé vert de Chine est le plus souvent utilisé *(Gunpowder)*, avec du sucre de canne et de la menthe fraîche, voire de l'absinthe, de l'ambre, du basilic, du poivre ou de la sauge, verveine ou marjolaine, eau de fleur d'oranger ou de rose. Pour oxygéner la liqueur, on lève et abaisse la théière au-dessus du verre et l'on produit ainsi une mousse légère et parfumée.

Ustensiles

Les trois ustensiles qui
président à la cérémonie
sont la cuillère en bambou
(chasaku), le fouet en bambou
(chasen) et les bols à thé
(chawan). Le thé utilisé est
le Matcha, un thé vert que
l'on bat jusqu'à l'obtention
d'une « mousse de jade ».

Une voie vers l'harmonie

Les invités s'agenouillent côte à côte. L'hôte prépare le brasier à l'aide de charbon de bois. Il essuie le natsune (boîte à thé) et le chasaku (cuillère en bambou) avec un linge de soie.

1 *Il prend de l'eau dans le kama (bouilloire en fonte) avec le hishaku (louche en bambou) qu'il verse dans le chawan (bol à thé).*

2 *Il y rince le chasen (fouet en bambou). Il vide l'eau et rince le chawan (bol à thé) avec un linge humide.*

3 *Avec le chasaku (cuillère en bambou), il prend la quantité de thé Matcha nécessaire dans le natsune qu'il met dans le chawan.*

4 *Il verse de l'eau du kama dans le chawan avec le hishaku.*

5 *Il bat la liqueur avec le chasen (fouet en bambou).*

6 *Il verse à nouveau de l'eau du kama.*

7 *Il bat la liqueur avec le chasen une seconde fois.*

L'invité d'honneur vient chercher le bol, retourne à sa place, et en boit trois gorgées. Puis, à tour de rôle, les autres invités boivent dans le même bol. L'invité d'honneur le rend alors à l'hôte.

La cérémonie du thé doit engendrer quatre vertus : l'harmonie, le respect, la pureté et la sérénité.

Le « chanoyu »

Le *Chanoyu*, littéralement « eau chaude du thé », est très codifié. On doit cette codification au maître Sen No Rikyû (1522-1591). L'environnement de la maison de thé où se déroule la cérémonie a une grande importance. Les invités franchissent une porte symbolique pour cheminer sur des pierres plates disposées précisément dans un **jardin** dont l'objet est de faire oublier la vie extérieure. Dans un second jardin, dit intérieur, les invités boivent de l'eau de source directement dans une louche en bois et se lavent les mains pour se purifier. L'hôte, en kimono, préside à la cérémonie.

La quête de la perfection

Il est difficile d'indiquer tous les gestes d'une cérémonie tant elle est codifiée. Il en existe deux formes, une simplifiée, le *chaikai*, et la cérémonie classique, le *chaji*, qui peut durer quatre heures. Celle-ci réunit trois à cinq personnes et comprend plusieurs centaines de gestes, qui concernent la façon de faire le thé, l'utilisation des instruments, les déplacements physiques du maître de cérémonie et l'attitude de l'invité d'honneur.

Les sept règles d'or

La cérémonie obéit aux sept règles enseignées par Sen No Rikyû : faire un délicieux bol de thé, disposer le charbon de bois pour chauffer l'eau, arranger les fleurs comme elles sont dans les champs, suggérer la fraîcheur en été, la chaleur en hiver, devancer en chaque chose le temps, se préparer à la pluie, accorder à chaque invité la plus grande attention.

Une philosophie

La cérémonie est l'expression d'une attitude philosophique qui réside en une approche de soi par le vide, un détachement des biens matériels, une concentration sur l'immédiateté, où les contraintes générées par la codification portent à l'oubli de soi pour se tourner vers l'autre.

Boire le thé

Lorsque l'on est seul, on dit que l'on boit « avec recueillement », à deux cela devient « un acte en communion », à trois on boit « de façon charmante ». Si l'on est plus, cela est dit « commun », sauf si c'est pour se recueillir, dans ce cas on dit « boire en ouverture ».

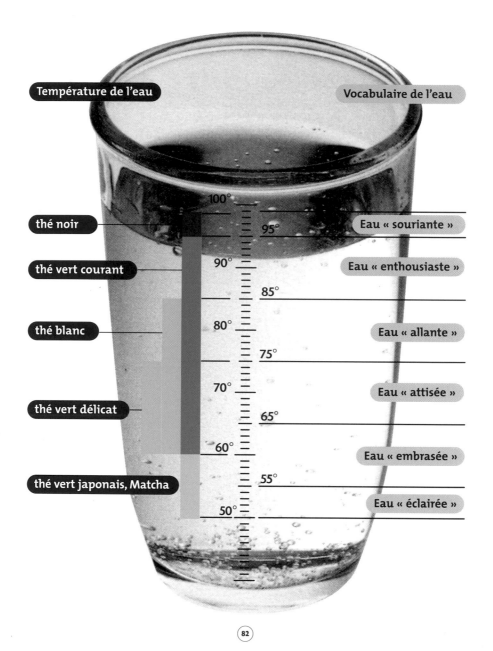

Température de l'eau

Vocabulaire de l'eau

thé noir

thé vert courant

thé blanc

thé vert délicat

thé vert japonais, Matcha

100°
95° — Eau « souriante »
90°
85° — Eau « enthousiaste »
80°
75° — Eau « allante »
70°
65° — Eau « attisée »
60°
55° — Eau « embrasée »
50° — Eau « éclairée »

Une histoire d'eau

La conservation du thé

Le thé absorbe les odeurs ambiantes, il est sensible à l'humidité, à la température et à la lumière. De ce fait, la cuisine n'est pas forcément le meilleur endroit pour le conserver. Dans tous les cas, utilisez un récipient opaque et étanche, par exemple une boîte en métal, un pot en céramique. Le thé **noir** peut se garder longtemps si l'on respecte ces consignes, plusieurs années parfois, mais il vaut mieux compter de un à deux ans. Le thé **vert** doit se consommer rapidement, dans les 6 à 12 mois.

Boîte de thé Mariage Frères

L a préparation du thé répond à un certain nombre de règles, à suivre méthodiquement pour obtenir une infusion à l'arôme délicat.

Qualité de l'eau

Un jour le poète chinois Lu Yu est prié par un haut dignitaire de goûter l'eau réputée d'une région : « Il se peut que ce soit l'eau de la rivière principale de Nanling, mais elle a été fortement diluée avec l'eau des bords de la rivière », ce qui est confirmé un peu plus tard. Cette anecdote, bien que caricaturale, prouve que pour un connaisseur toutes les eaux diffèrent. Lu Yu préconisait d'utiliser une eau de montagne, sinon une eau de rivière, et, à défaut, une eau de source. Aujourd'hui, le choix doit se faire dans l'ordre suivant : une eau de source, peu minéralisée, qui provient d'une nappe supérieure ; une eau minérale, pompée en profondeur et qui, comme son nom l'indique, est fortement minéralisée ; une eau de table, qui parfois a subi un traitement.

L'eau du robinet

L'eau du robinet est rarement de bonne qualité gustative à cause des systèmes de filtration et de l'adjonction de produits pour la rendre potable, le plus courant étant le chlore.

La température de l'eau

La température de l'eau joue un rôle essentiel dans la qualité du thé. Une eau bouillante le brûlera, lui ôtant de nombreux arômes. Une eau bouillie sera trop calcaire, trop dure, et, surtout, aura perdu son oxygène, ce qui casse les liqueurs et les rend ternes. Globalement, si le thé est délicat, la température de l'eau ne doit pas être trop élevée. Elle est si importante qu'un vocabulaire lui est dédié.

Dosez et laissez infuser

Si le thé doit être choisi en fonction du moment de la journée, son dosage est essentiel à l'obtention d'une bonne infusion.

Comment doser le thé ?

Le dosage est surtout une question d'expérience. On donne généralement comme repère une cuillère par tasse et une pour la théière. Mais, si cette méthode a pour elle la simplicité de mise en œuvre, elle est trop simplificatrice. Une bonne méthode consiste à peser le thé, même si l'on n'a pas toujours le temps et le matériel pour le faire. Une cuillerée correspond à 2 ou 2,5 g de thé mais elle contient plus de thé à feuilles broyées que de thé à feuilles entières.

Enfin, un thé à larges feuilles demandera plus de temps d'**infusion** qu'un thé *Broken* où le contact de l'eau sur les morceaux de feuilles est plus important.

Sucre, lait ou citron ?

Le sucre masque l'amertume naturelle du thé que l'on apprend à apprécier. Il n'en est pas moins vrai qu'en Afghanistan, en Russie, en Égypte, dans les pays du Maghreb, et même en Inde dans certaines circonstances, on le boit plus ou moins sucré. Le sucre candi est celui qui respecte le mieux les arômes du thé. Les Anglais, qui ont appris à boire le thé en compagnie des Mandchous, grands consommateurs de lait, ont ainsi pris l'habitude d'ajouter du lait dans leur thé. Pour eux, la question s'est longtemps résumée à savoir si on doit le verser dans la tasse avant ou après le thé. La réponse est : versez d'abord le lait. Les Français préfèrent ajouter du citron à leur thé pour en adoucir le goût trop prononcé. L'inconvénient : le citron en change la couleur et en détruit le goût. Une rondelle d'orange serait préférable.

THÉS EN SACHET ?

Le sachet est le mode de consommation de 75 % des thés en Europe. Or, celui-ci cache la qualité de son contenant. Il existe de très bon thés en sachet, mais la grande majorité d'entre eux, servis dans les cafés, est de piètre qualité. Il a pour autre défaut de tuer l'arôme en diffusant un goût de papier qui neutralise les subtilités de la liqueur. Le fil et certains papiers sont traités au chlore, l'agrafe en aluminium rajoute une note d'acidité à un thé écrasé à l'intérieur de la plupart des sachets dont les feuilles ne peuvent pas se déployer. Il est donc préférable d'utiliser un sachet de mousseline, en coton.

temps d'infusion
en minutes

quantité pour 10 cl
en grammes

15   10   5

thés verts japonais

thés blancs

thés verts chinois

thés Oolong

thés noirs à feuilles
entières

thés noirs à
feuilles brisées

thés noirs à
feuilles broyées

thés
aromatisés

Quelle théière choisir ?

**THÉIÈRE
EN ARGENT**

**THÉIÈRE
EN FONTE**

**THÉIÈRE EN
PORCELAINE**

**THÉIÈRE
EN TERRE**

Pour certains, plaisir gustatif et plaisir esthétique sont liés : le choix de la théière sera fonction de l'élégance de sa forme, de la délicatesse de sa porcelaine, de la beauté de ses motifs. Pour d'autres, ses caractéristiques et qualités pratiques priment.

À chaque thé sa théière

Les théières dont les parois intérieures sont vernissées gardent peu la mémoire du thé, contrairement aux théières dont les parois sont poreuses comme celles en terre brute ou en fonte. Si vous n'avez qu'une seule théière, une de celles sans mémoire (aux parois lisses : vernissées, en porcelaine, en verre...) sera préférable car les arômes se mélangeront peu. Les amateurs conseillent une théière pour les thés noirs d'Inde, d'**Assam** ou **Darjeeling**, de **Ceylan** et d'Afrique, une autre pour les thés **noirs** de Chine, une autre pour les thés **verts** du Japon, une autre encore pour les thés parfumés (Jasmin, Goût russe, **Earl Grey**...). Dans ce cas, les théières à mémoire sont conseillées. Un dépôt se forme sur les parois et « culotte » le récipient, lui donnant une âme. Une école préconise les théières japonaises en terre vernissée extérieurement, une autre celles en fonte.

Le métal

La théière en argent ou en métal est réservée au thé vert à la menthe mais elle est à exclure pour les thés délicats. Le métal transmet un goût acide qui, s'il combat l'amertume du thé à la menthe, détruit l'arôme dans tous les autres cas. Lorsqu'une théière est neuve, il faut l'apprêter en l'ébouillantant plusieurs fois, puis en y laissant infuser du thé à plusieurs reprises.

Le saviez-vous ?

Une théière ne doit servir qu'à l'usage exclusif du thé. Une verveine, par exemple, lui donnerait un goût qui tuerait les arômes du thé.

Tea time

On a longtemps traduit *tea time* par « l'heure du thé ». Mais il faut entendre également « le temps du thé », c'est-à-dire le moment de le boire et le temps que l'on prend pour le savourer. Il faut entendre enfin l'ère du thé. Les Occidentaux vont sans doute passer de l'ère de la consommation du thé à celle de sa préparation et de sa dégustation dans les règles d'un art qui leur vient de l'Orient. Un art qu'ils peuvent s'approprier, adapter mais aussi réinventer.

Tasse, bol, mug ou zhong ?

Pour les amateurs, le thé implique d'être servi dans un récipient approprié. Tasse, bol ou mug (sorte de chope anglaise), c'est à vous de choisir.

Tasse, bol, mug

Préférez toutefois les récipients à fond blanc pour contempler la couleur de la liqueur et ne les remplissez pas entièrement pour laisser les arômes se développer. Les grands crus de thé vert chinois et le *Gyokuro* japonais sont bus dans des tasses de la taille d'un dé à coudre, par petites gorgées. Au Japon, au cours de la cérémonie du thé, le thé vert se boit à plusieurs dans un même bol.

... ou zhong ?

En Chine, le *zhong* (ou *chung*, tasse sans anse munie d'un couvercle et d'une soucoupe profonde) remplace la théière, jugée inappropriée pour la préparation du thé vert. Il sert aussi à boire la liqueur.

Passe-thé

Certaines théières en fonte et, depuis peu, en porcelaine sont équipées d'un filtre destiné à contenir le thé, mais, pour la plupart d'entre elles, il est nécessaire de le passer. Il faut à cet effet exclure ce qui est en métal – qui donne un goût – comme les boules, les passoires et les pinces à thé. De surcroît, les boules et les pinces serrent le thé et empêchent les feuilles de se développer et de dégager leurs arômes. La meilleure solution est la chaussette en textile, qui existe en différentes tailles de façon à s'adapter à la théière, voire les filtres en coton. Ils permettent, en outre, de stopper l'**infusion** au moment voulu.

Comment préparer le thé dans un zhong

Le thé vert est déposé directement dans le *zhong*, l'eau chaude à 70 °C y est versée, puis immédiatement jetée. Les feuilles, ainsi rincées et hydratées, on recommence l'opération et on laisse infuser entre 2 et 4 minutes. Puis, en conservant le couvercle pour garder prisonnier les arômes et retenir les feuilles, on goûte enfin à la liqueur. Les Chinois infusent les feuilles à deux ou trois reprises.

BOULE À THÉ

CUILLÈRE ET PASSOIRE À THÉ

VERRE À THÉ

TASSE À THÉ

MUG

BOL À THÉ

Les vertus du thé

La feuille de thé, au moment de la cueillette est constituée de 75 à 85 % d'eau. Ses substances sèches contiennent de 20 à 35 % de tanin, de 20 à 30 % de protéines (dont seule l'albumine est soluble dans l'eau), de 20 à 25 % de glucides (peu solubles dans l'eau), de 4 à 5 % de lipides (peu solubles dans l'eau), des acides organiques, à raison de 3 à 5 %, de la théine, à raison de 3 à 5 % également, et plus de 500 substances aromatiques. Elles sont riches aussi en acides aminés, vitamines (A, B, C, E et P), en éléments minéraux tels que le potassium, magnésium, calcium, sodium (en partie infime dans l'**infusion**, donc sans conséquences pour les régimes sans sel rigoureux), phosphore, manganèse, cuivre, fer et fluor (en grande quantité, surtout dans le thé vert).

Les vertus que l'on prête depuis quelques années au thé ont favorisé l'augmentation de sa consommation en Europe.

Des propriétés bénéfiques

La théine est une forme de caféine, moins nocive, dont les effets diffèrent. Son pouvoir stimulant sur le système nerveux intensifie durablement la concentration sans énerver. Elle a une action positive sur les systèmes cardio-vasculaire et respiratoire, sur l'artériosclérose. Elle aurait aussi un effet bénéfique sur les trois taux de cholestérol (basse, haute et hyper densité).
Mais ses nombreux autres composants ont également des effets régulateurs.
Il ne faut pas perdre de vue cependant que la médecine chinoise est préventive et que, si le thé ne soigne pas, il aide à se prémunir contre certaines maladies.
Le thé permet de lutter contre la sénescence en agissant sur les radicaux libres.
Mais il a d'autres facettes : antivirus (psoriasis, herpès Zoster...) ; antibactérien (staphylocoques, dysenterie, fièvre typhoïde...) ; inhibiteur de l'agglutination plaquettaire ; prévention de la thrombose et de l'hémorragie cérébrale ; lutte contre la défaillance cardiaque, l'arythmie, le diabète, l'asthme, l'ulcère de l'estomac, la constipation, les affections ophtalmiques, les caries, entre autres.

Le thé vert joue un rôle diurétique, en particulier en phytothérapie chinoise, car il participe à l'élimination de l'eau et des toxines.
Dans le cadre d'une cure diététique, grâce aux flavanoïdes qu'il contient, il freine l'assimilation des glucides et des lipides.

PROTÉINES 20 À 30 %

GLUCIDES 20 À 25 %

LIPIDES 4 À 5 %

ACIDES ORGANIQUES
3 À 5 %

TANNINS 20 À 35 %

THÉINE 3 À 5 %

Filets de pageot au thé vert Matcha et vinaigrette tiède

1. Faites lever et écailler les filets de pageot. Gardez les parures pour faire le fumet.

2. Concassez-les. Épluchez puis émincez la carotte et l'oignon, liez ensemble les queues de persil, le thym et le laurier. Mettez le tout dans une large casserole, ajoutez un peu de sel et le jus du demi-citron, couvrez d'un litre d'eau et faites bouillir 20 min. Passez ensuite au tamis fin et réservez.

3. Mélangez la fleur de sel à 2 cuillères à café de thé **Matcha** et posez sur chaque filet écaillé une mince couche de ce mélange. Tassez du plat de la main et réservez.

4. Épluchez puis détaillez en très fines rondelles les navets. Versez l'huile de tournesol dans une sauteuse.

5. Préparez la vinaigrette tiède : dans une casserole, mélangez les 2 huiles, la sauce soja, le vinaigre balsamique et 2 cuillères à soupe de fumet. Faites chauffer doucement en fouettant. Ajoutez le reste de thé vert. Fouettez et gardez au chaud au bain-marie.

6. Allumez le gril du four. Chauffez l'huile dans la sauteuse.

7. Placez les filets de pageot à mi-hauteur sous le gril et, pendant qu'ils grillent, préparez les chips de navet. Mettez les pétales de légume dans l'huile bouillante. Lorsqu'ils commencent à dorer, retirez-les de la friture et posez-les sur du papier absorbant.

8. Sur chaque assiette, disposez un filet de poisson en croûte de fleur de sel au thé vert, ajoutez les chips de navet, un peu de vinaigrette tiède et servez aussitôt.

COMBIEN DE TEMPS ?

Préparation : 15 min.
Cuisson : 8 min.

POUR 4 PERSONNES

4 filets de pageot de 200 g chacun.
*3 cuillères à café rases de thé vert **Matcha**.*
4 cuillères à café de fleur de sel.
4 beaux navets.
25 cl d'huile de tournesol.
2 cuillères à soupe d'huile de pépins de raisin.
1 cuillère à soupe d'huile d'olive fruitée.
1 cuillère à soupe de sauce soja Kikkoman.
1 cuillère à soupe de vinaigre balsamique.

POUR LE FUMET DE POISSON

1 carotte.
1 oignon.
1 feuille de laurier.
1 branche de thym.
Quelques queues de persil.
Un demi-citron.

Aiguillettes de veau, sauce à l'orange et au thé Esprit de Noël

1. Pelez puis taillez en julienne les carottes et le céleri rave. Ébouillantez la tomate, mondez-la puis coupez-la en petits cubes. Cuisez les minicarottes à l'eau bouillante salée puis rafraîchissez-les avec des glaçons afin qu'elles restent croquantes. Réservez.

2. Pressez les oranges et faites réduire à feu doux le jus avec le miel et les dés de tomate. Préparez le fond de veau.

3. Émincez finement les échalotes et les champignons puis faites-les revenir doucement dans 20 g de beurre. Mouillez ensuite avec le vin blanc et laissez bouillir 2 à 3 min. Ajoutez le fond de veau puis le jus d'orange légèrement concentré, salez, poivrez et laissez réduire d'un tiers.

4. Laissez infuser le thé 4 min dans le jus réduit. Ajoutez la crème fraîche, rectifiez l'assaisonnement et passez au chinois. Gardez au chaud dans un bain-marie.

5. Faites suer la julienne dans 20 g de beurre, salez, poivrez, mouillez d'un peu d'eau, couvrez et laissez mijoter 5 min. Ajoutez les carottes en fin de cuisson pour les réchauffer.

6. Dans une poêle antiadhésive, avec 10 g de beurre, saisissez les pavés de veau 4 min de chaque côté. Sur les assiettes tiédies, déposez la julienne de légumes, les pavés détaillés en aiguillettes, les petites carottes et nappez de sauce au thé.

COMBIEN DE TEMPS ?

Préparation et cuisson :
1 h 15 environ.

POUR 4 PERSONNES

4 pavés de filet de veau d'environ 1,5 cm d'épaisseur.
10 cl de vin blanc doux.
10 cl de crème fraîche.
50 g de beurre.
Le jus de 4 oranges.
1 cuillère à soupe de miel.
20 cl de fond de veau (instantané).
10 g de thé Esprit de Noël (un thé Mariage Frères, parfumé à l'orange et à la vanille).
Poivre du moulin.
Fleur de sel.
1 botte de minicarottes (ou 1 boîte de minicarottes en conserve).
300 g de carottes.
1 belle tomate.
300 g de céleri rave.
4 échalotes.
100 g de champignons de Paris.

Tarte à la mangue
Glace au thé Bourbon

Glace au thé Bourbon

COMBIEN DE TEMPS ?

Préparation : 10 min.
Cuisson : 15 min.
Refroidissement
en sorbetière :
environ 25 min.

POUR 4 PERSONNES

30 g de thé Bourbon (un
*thé **rouge** Mariage Frères,*
parfumé aux arômes
de vanille Bourbon).
1/2 l de lait entier
pasteurisé.
100 g de sucre semoule.
4 jaunes d'œufs.
125 g de crème fleurette.

1. Préparez la glace. Faites bouillir le lait, versez-le sur le thé.
Laissez infuser 2 min et passez au chinois.
2. Battez ensemble les jaunes d'œufs et le sucre jusqu'à ce que le mélange blanchisse puis ajoutez le lait parfumé au thé Bourbon.
3. Remettez sur feu doux et, sans cesser de remuer à la cuillère en bois, cuisez le mélange jusqu'à ce qu'il épaississe et nappe la cuillère. Versez immédiatement au travers d'un chinois dans un saladier, ajoutez la crème fleurette et laissez refroidir avant de mettre en sorbetière.
4. Découpez quatre tartelettes d'environ 15 cm de diamètre dans l'abaisse de la pâte feuilletée. Préchauffez le four à 200 °C.
5. Pelez puis émincez la mangue en fine tranches que vous poserez en rosace sur la pâte. Parsemez de quelques noisettes de beurre, de sucre roux et d'un peu de thé Bourbon. Enfournez 15 min jusqu'à ce que la pâte soit bien dorée.
6. Pendant ce temps, confectionnez de belles quenelles de glace. Lorsque les tartes sont cuites, tièdes et croustillantes, posez-les sur chacune d'elles et dégustez.

Tarte à la mangue

COMBIEN DE TEMPS ?

Préparation : 10 min.
Cuisson : 15 min.

POUR 4 TARTELETTES

1 abaisse de pâte
feuilletée de 250 g
achetée chez le pâtissier.
10 g de thé Bourbon.
80 g de beurre.
1 grosse mangue.
50 g de sucre roux.

Macarons au thé vert

 1. Préparez la crème au beurre.

2. Faites bouillir le sucre et l'eau environ 5 min, jusqu'à ce que de petites bulles frémissent à la surface.

3. Fouettez les jaunes d'œufs au batteur.

4. Versez le sirop bouillant en mince filet tout en fouettant vigoureusement pendant 3 min, puis plus doucement jusqu'à ce que le mélange soit froid.

5. Incorporez le beurre en morceaux et le thé vert en poudre, battez au fouet pendant 5 min jusqu'à ce que le mélange soit homogène. Réservez.

6. Préchauffer le four : à chaleur tournante sur 180 °C, traditionnel à 200 °C.

7. Mixez les amandes en poudre, le sucre glace et le sucre vanillé.

8. Passez au tamis 4 fois.

9. Battez les blancs en neige ferme avec quelques gouttes de jus de citron et un peu de sucre semoule.

10. Saupoudrez le reste du sucre en pluie fine à la fin.

11. Mettez une feuille de papier sulfurisé pliée en deux sur la plaque du four.

12. Mélangez délicatement les blancs battus et la préparation tamisée à la spatule jusqu'à ce que le mélange brille.

13. Versez-le dans une poche à douille lisse de 5,5 mm de diamètre.

14. Formez des ronds de 4 cm de diamètre environ sur le papier sulfurisé en les espaçant et aplatissez-les avec un pinceau mouillé.

15. Enfournez la plaque et cuisez 12 min.

16. À mi-cuisson, maintenez la porte du four entrouverte avec une cuillère en bois.

17. Dès que les macarons sont cuits, faites couler un filet d'eau froide entre la plaque et le papier, sans les mouiller, pour mieux les décoller.

18. Placez une belle noix de crème au beurre sur un macaron puis recouvrez-le d'un autre biscuit, et ainsi de suite.

COMBIEN DE TEMPS ?

Préparation : 30 min.
Cuisson : 20 min.

POUR 24 MACARONS

*625 g d'amandes
en poudre.
125 g de sucre glace.
500 g de blanc d'œuf.
125 g de sucre semoule.
6 gouttes de jus de citron.
2 sachets de sucre vanillé.*

CRÈME AU BEURRE

*400 g de sucre.
33 cl d'eau.
7 jaunes d'œufs.
500 g de beurre mou.
4 cuillères à café de thé
vert en poudre Matcha.*

Crème brûlée au thé Butterscotch

 1. Faites bouillir le lait, versez-le sur le thé. Laissez infuser 5 min et passez au chinois.

2. Battez ensemble dans un saladier les jaunes d'œufs et le sucre semoule jusqu'à ce que le mélange blanchisse puis ajoutez le lait parfumé au thé Butterscotch.

3. Fouettez tout en incorporant la crème fraîche jusqu'à obtenir un mélange homogène.

4. Répartissez le tout dans des plats à œuf en porcelaine à feu et faites cuire au four à 150 °C pendant 30 min.

5. Laissez refroidir puis mettez au frais pendant 1 h.

6. Saupoudrez les crèmes avec le sucre cristallisé et passez-les au four sous le gril 1 à 2 min pour qu'elles caramélisent.

7. Servez tiède ou froid.

COMBIEN DE TEMPS ?

Préparation : 20 min.
Cuisson : 35 min.
Repos : 30 min.

POUR 4 PERSONNES

4 jaunes d'œufs.
100 g de sucre semoule.
20 g de sucre cristallisé.
20 cl de lait.
250 g de crème fraîche.
2 cuillères à café de thé Butterscotch (un thé Mariage Frères parfumé aux arômes de chocolat et de caramel).

Crème aux parfums de thés

1. Faites bouillir le lait, puis répartissez 25 cl dans quatre bols différents. Laissez infuser dans chacun 3 min et passez au chinois.

2. Dans un saladier, cassez les œufs entiers, ajoutez les jaunes et le sucre semoule, puis mélangez sans battre. Pesez le mélange avant de le partager en quatre pour le mêler aux laits parfumés.

3. Allumez le four à 180 °C. Préparez un bain-marie dans un plat à gratin pouvant contenir tous les pots à crème, puis versez les préparations dans chacun d'eux. Enfournez environ 15 min. Vérifiez la cuisson en bougeant délicatement un ramequin. La crème doit être tremblotante.

4. Servez tiède ou froid.

COMBIEN DE TEMPS ?

Préparation : 15 min.
Cuisson : 15 min.

POUR 8 PETITES CRÈMES

4 jaunes d'œufs.
2 œufs entiers.
50 g de sucre semoule.
1 l de lait entier pasteurisé.
250 g de crème fraîche.
3 cuillères à café de thé vert à la menthe.
*3 cuillères à café de thé fumé **Lapsang Souchong**.*
3 cuillères à café de thé vert au jasmin.
*3 cuillères à café de thé **Earl Grey**.*

Thé à la menthe

 1. Effeuillez deux brins de menthe.
2. Mettez le thé vert dans la théière.
3. Versez-y une petite quantité d'eau frémissante et jetez-la aussitôt.
4. Ajoutez les quelques feuilles de menthe et versez 5 dl d'eau frémissante.
5. Ajoutez le sucre, mélangez le tout et laissez infuser 6 min environ.
6. Versez le thé en le filtrant dans les verres et décorez avec 1 brin de menthe.

COMBIEN DE TEMPS ?	POUR 4 VERRES
Préparation : 10 min.	*2 cuillères à café de thé vert **Gunpowder**.* *6 brins de menthe fraîche.* *40 g de sucre semoule.*

Thé glacé aux épices

 1. Faites bouillir 5 dl d'eau.
2. Ajoutez les 4 épices, la cannelle, la muscade et le gingembre, puis le thé.
3. Laissez frémir à feu doux 5 min.
4. Retirez du feu, couvrez et laissez infuser 10 min.
5. Filtrez puis faites refroidir, enfin mettez au frais.
6. Répartissez dans de grands verres le jus d'orange et de citron, le miel, quelques glaçons puis le thé.
7. Mélangez et servez.

COMBIEN DE TEMPS ?
Préparation : 10 min.

POUR 4 VERRES
2 cuillères à café de thé Aïda (un thé Mariage Frères parfumé aux agrumes). *1 pincée de 4 épices.* *1 pincée de cannelle.* *1 pointe de muscade.* *1 pointe de gingembre.* *2 cuillères à soupe de miel d'acacia.* *2 dl de jus d'orange.* *Le jus d'un demi-citron.* *Glaçons.*

TROUVER

QUELQUES ÉCRIVAINS ET CINÉASTES INSPIRÉS PAR LE SOUVENIR
D'UNE TASSE DE THÉ, LES ADRESSES POUR ACHETER LES MEILLEURS CRUS,
LES SALONS DE THÉ, LES PETITES ASTUCES À CONNAÎTRE
POUR UTILISER LES PROPRIÉTÉS DU THÉ DANS LA MAISON,
LES LIVRES POUR LES AMATEURS ET LES NÉOPHYTES.

Le grand maître
Soshitsu Sen

Grand maître de thé japonais depuis 1964, quinzième du nom, Soshitsu Sen guide plus de deux millions d'élèves dans la tradition de l'école Urasenke. Il évoque ici une cérémonie du thé.

La bouilloire laisse échapper des volutes de vapeur. Le chant de l'eau frémissante ressemble à celui du vent lorsqu'il souffle à travers les pins.

L'hôte met du thé en poudre dans le bol, il ajoute un peu d'eau chaude, mélange le tout avec le fouet, ajoute encore un peu d'eau, fouette à nouveau le mélange et l'offre au premier invité. Dans l'air paisible flotte le parfum du thé. Tous les invités partagent ce même bol de thé vert fort et sombre. Ils peuvent alors demander à examiner de plus près la boîte à thé, son étui de soie, ainsi que la cuiller à thé. Pendant ce temps, l'hôte range tous les autres ustensiles. Il revient dans la salle de thé pour répondre aux questions des invités sur les objets qu'ils ont examinés : Où la boîte a-t-elle été fabriquée ? Qui a sculpté la cuiller ? Porte-t-elle un nom particulier ? Après cet échange, l'hôte ramasse ces ustensiles, quitte la pièce et s'incline devant les invités depuis la porte. Il revient bientôt, chargé des ustensiles avec lesquels il servira le thé léger. L'atmosphère est maintenant plus détendue et le rythme plus rapide. L'hôte verse à chaque invité son bol de thé. On mange des petits gâteaux juste avant que l'hôte ne remue le thé avec le fouet. Pendant ce temps, les invités peuvent converser discrètement et demander à examiner de plus près la nouvelle boîte à thé ainsi que la cuiller. Ils s'enquièrent de la laque, de la forme de la boîte, de l'artisan qui l'a faite et du nom de la cuiller. Après cela, ils admireront en silence une fois encore les fleurs et le feu.

L'hôte ouvre le passage aux invités et s'incline pour prendre congé, restant sur le pas de la porte jusqu'à leur départ.

Il reste un moment assis à méditer sur la réunion, puis il enlève tous les ustensiles et les lave, ôte la fleur de l'alcôve et nettoie une dernière fois la pièce. La salle de thé est vide. Aux yeux d'un observateur non averti, rien d'extraordinaire ne s'est passé, mais ce que l'hôte et ses invités attendent de cette expérience est qu'elle ait été un microcosme de la vie elle-même.

Soshitsu Sen, *Le Zen et le thé*, éditions SELD/Jean-Cyrille Godefroy, 1987.

Le regard de l'Occident

Essayiste portugais, Wenceslau de Morães consacre sa vie et ses écrits au Japon où il séjournera plus de trente ans. Il est l'auteur du *Culte du thé* (1905) mais, dès 1897, il publie *Dai-Nippon, O Grande Japão* dans lequel il nous livre le regard d'un Occidental sur la façon de boire le thé des Japonais au quotidien.

C'est la boisson de tous, riches et pauvres, la boisson qui étanche la soif, qui parfume le palais de subtils arômes et qui peut-être entretient chez ces bonnes gens, grâce à ses propriétés légèrement enivrantes, capiteuses, la bonne humeur, le sommeil léger, la fine acuité des sentiments, la petite pointe de fièvre stimulante, perpétuelle, que révèlent les yeux noirs brillants, les moqueries, les éclats de rire.

Voici mon vœu le plus cher pour ce pays, que j'aime au plus profond de moi-même : que le Japon ne cesse jamais de boire du thé ! Le thé, avec tout le bric-à-brac indispensable à sa confection, la petite boîte d'étain, le réchaud portable, la bouilloire en fonte, la théière microscopique, les cinq petites tasses en porcelaine et les cinq soucoupes en métal buriné ; le thé que l'on offre au visiteur avec la première salutation, pour exprimer l'hospitalité, le plaisir de la rencontre, la communion fraternelle ; le thé est le compagnon inséparable de l'ouvrier et de l'artiste dans leurs tâches, de la mousmé dans ses caprices, de toute réunion intime ; et on peut dire qu'il est l'emblème de la famille, dans la tendre tranquillité du nid.

Wenceslau de Morães, extrait de *Dai-Nippon, O Grande Japão, in Le Culte du thé*, éditions La Différence, 1998, pp. 12-13.

L'art du thé à la française

La quintessence du thé érigé en art de vivre à la française nous est proposée par Marcel Proust dans ces quelques lignes extraites de son livre *Du côté de chez Swann*.

Mais il n'entrait jamais chez elle. Deux fois seulement dans l'après-midi, il était allé participer à cette opération capitale pour elle : « prendre le thé »...

Odette fit à Swann « son » thé, lui demanda : « Citron ou crème ? » Et comme il répondit « crème », lui dit en riant : « Un nuage ! » Et comme il le trouvait bon : « Vous voyez que je sais ce que vous aimez. » Ce thé, en effet, avait paru à Swann quelque chose de précieux comme à elle-même, et l'amour a tellement besoin de se trouver une justification, une garantie de durée, dans des plaisirs qui au contraire sans lui n'en seraient pas et finissent avec lui, que quand il l'avait quittée à sept heures pour rentrer chez lui s'habiller, pendant tout le trajet qu'il fit dans son coupé, ne pouvant contenir la joie que cet après-midi lui avait causée, il se répétait : « ce serait bien agréable d'avoir ainsi une petite personne chez qui on pourrait trouver cette chose si rare, du bon thé. »

Marcel Proust, *Du côté de chez Swann*, éditions Gallimard, coll. « La Pléiade », 1954, pp. 219-222.

Un petit air irlandais

Dans ces premières pages d'*Ulysse* de James Joyce (paru en 1922) deux copains d'université se retrouvent pour un petit déjeuner typiquement irlandais accompagné de thé noir, fort et sucré.

– Les bénédictions du Seigneur soient sur vous ! s'écria Buck Mulligan en bondissant de sa chaise. Asseyez-vous. Versez le thé par ici. Dans le sac le sucre. J'en ai assez de me battre avec ces sacrés œufs.

Il trancha dans le plat à tort et à travers, et flanqua une portion dans chacune des trois assiettes, en récitant :

In nomine Patris et Filii et Spiritus sancti.

Haines s'assit pour verser le thé.

– Je vous mets deux morceaux à chacun, fit-il. Dites donc, Mulligan, il est plutôt fort ce thé, celui que vous faites.

Buck Mulligan qui taillait d'épaisses tranches à la miche répondit en prenant une voix de vieille enjôleuse :

– Quand je faye du thé, je faye du thé, comme disait la mère Grognan. Et quand je faye de l'eau, je faye de l'eau.

– Sapristi, c'est du thé, déclara Haines.

Et Buck Mulligan toujours coupant et bêtifiant :

– C'est comme ça, m'ame Cahill, qu'elle dit. Pardine, m'ame, dit Mme Cahill, le Seigneur vous accorde de ne pas faire les deux dans le même pot.

James Joyce, *Ulysse*, éditions Gallimard,
coll. Folio, 1972, t.1, pp. 22-23.

Plongée dans l'univers d'un salon de thé

À Rennes, tout près du Parlement, les mille saveurs du thé s'apprécient dans l'ambiance très britannique du salon de thé *Mrs Dalloway*. Propos de l'hôtesse, au sujet de sa tasse de thé.

Le thé est une culture universelle et vivante. Boire du thé est un art de vivre. C'est d'abord se poser, regarder autour de soi, prendre la mesure des choses, comme si un moment le temps s'arrêtait. On ne boit pas du thé comme on boit un café : sur le pouce.

Il faut du temps, je dirais même un certain recueillement. Le thé se prépare, soigneusement. C'est un acte en soi, qui n'est pas anodin. Il y a de la noblesse dans les gestes de cette préparation ; l'eau qui bout est déjà une promesse de bonheur, de bien-être ; le choix de la théière, de la tasse, selon l'origine du thé, est tout aussi important. Sans aller jusqu'au cérémonial japonais où chaque geste a un sens précis, le thé à l'occidentale a lui aussi son rituel. À chacun d'y apporter sa note personnelle. Si le thé peut se boire en solitaire, partagé comme le vin, il participe à la vie sociale, favorise les échanges, il est un prétexte à des retrouvailles, à de petites fêtes.

Un salon de thé, c'est aussi un lieu de rencontre, confortable et tranquille. Mes clients trouvent chez *Mrs Dalloway* une chaleur, une ambiance, un décor agréable. Ils y viennent pour le déjeuner. Or le thé incite à se nourrir de façon différente : des repas légers, équilibrés, avec des salades, des légumes crus ou cuits, des tartes. Beaucoup d'entre eux boivent du thé en mangeant, je leur conseille, pour accompagner du salé, un grand classique de Chine, comme un Grand Yunnan, ou de l'Inde comme un Assam ou un Darjeeling assez puissant (le Margaret's Hope, par exemple), voire un mélange de thé fumé, léger ou corsé. Après le repas, je leur propose un thé subtilement parfumé. L'après-midi, les promeneurs viennent chercher du repos, se ressourcer, seuls ou non. Ils ne boivent que du thé ou se font plaisir avec des gâteaux, et la boisson devient alors plus accessoire.

La plupart boivent des thés parfumés, c'est encore la pratique la plus courante en France pour le moment, mais des thés aux arômes naturels de fleurs ou de fruits. Ils dégustent alors un crumble, un carrot cake ou un apple pie, des gâteaux anglais qui ont remplacé les pâtisseries de notre enfance. Et c'est bien une part de cette enfance qu'ils viennent retrouver ici, un nouveau type de goûter. Je leur conseille alors un Oolong assez doux de Formose (Taiwan) au goût de châtaigne, un Finest Earl Grey dont les pointes blanches rehaussent les saveurs, un Goût russe ou un thé aux épices, un thé à la rhubarbe, au bleuet et à la fraise, un thé à la vanille et au caramel. Le salon de thé ferme vers 18 heures, mais pour le soir j'aime conseiller ou déguster moi-même un thé rouge d'Afrique sans théine ou un Keemoun.

Bien sûr, quelques clients viennent pour le seul plaisir de déguster un thé rare du Japon, sans gâteaux (le thé vert ne se boit pas avec le ventre creux et, s'il n'accompagne pas un repas, il est préférable d'avoir mangé avant). Mais la plupart d'entre eux ont peu de culture du thé, parfois même ils sont peu curieux d'apprendre, ils aiment toutefois se laisser guider, découvrir également de nouvelles saveurs ou feuilleter le petit cahier de brouillon qui présente la carte des mets et des thés mais aussi des textes ou des explications sur le thé pour les guider dans un apprentissage agréable.

Élisabeth Van Egroo
Mrs Dalloway, 5, rue Nationale, 35000 Rennes.
Tél. : 02 99 79 27 27.

Thés en liste

Parmi les thés de toute provenance qui existent sur le marché, nous avons fait une sélection, des plus rares aux plus répandus, des curiosités aux grands classiques qui permettent de faire déjà un beau voyage au pays du thé.

THÉS DE CHINE

THÉS BLANCS
La rareté les caractérise. Ce sont des thés rafraîchissants mais qui requièrent une initiation.

Bai Mu Dan (ou Pai Mu Tan), province du Fujian, idéal pour une initiation au thé blanc, grand thé d'après-midi.

Yin Zhen, province du nord du Fujian et du Hunan, thé prestigieux au parfum subtil.

THÉS VERTS
Les thés verts de Chine, parmi les meilleurs du monde, développent des arômes très fins. Ils sont de grande valeur gustative.

Bi Luo Chun (ou Pi Lo Chun), province du Jiangsu, rare, grand thé du midi.

Ding Gu Da Fang, province d'Anhui, thé d'après-midi, idéal après une première initiation.

Gunpowder, thé vert le plus courant, également utilisé pour la préparation du thé à la menthe, se boit à toute heure de la journée.

Huang Shan Mao Feng (ou Hangshan Mao Feng), province d'Anhui.

Long Jing (ou Lung Ching), province du Zhejiang (attention aux contrefaçons).

Sencha, thé savoureux qui accompagne idéalement les repas.

Tai Ping Hou Kui (ou Taiping Houkui), province d'Anhui.

THÉS SEMI-FERMENTÉS OU OOLONG
Les Chinois trouvent les Oolong excellents pour la santé et les exportent peu.

Feng Huang Dan Cong (ou Fenghuang Dancong), thé rare de la province du Guangdong, thé du soir (attention aux contrefaçons).

Shui Hsien, province du Fujian et du Guangdong, thé doux de la journée.

Ti Kuan Yin, province du Fujian, le thé semi-fermenté chinois le plus connu aux saveurs délicates.

THÉS NOIRS
Quelques très grands crus et des thés en général assez faibles en théine.

Jiangxi impérial TGFOP1, province du Jiangxi, le seigneur des thés noirs de Chine, pour l'après-midi. *Les experts ajoutent également « 1 » comme mention de première qualité après la désignation.*

Keemun, FOP, province d'Anhui, thé de l'après-midi ou du soir.

Pu Er (ou Pu Erh), province du Yunnan, thé bienfaisant aux qualités médicinales.

Szechwan, FOP, province du Szechwan, thé d'après-midi.

Yunnan impérial, TGFOP, province du Yunnan, très grand thé, se boit au petit déjeuner.

THÉS NOIRS FUMÉS
Essentiellement produits dans la province du Fujian, les Chinois les réservent principalement à l'exportation.

Lapsang Souchong, province du Fujian, thé moyennement fumé.

Tarry Souchong, province du Fujian, thé très fumé.

Yu Pao, province du Fujian, thé légèrement fumé.

THÉS DE FORMOSE (Taiwan)

THÉS VERTS
Moins renommés que les thés verts chinois, ils sont aussi moins chers.

Gunpowder Zhu Cha, thé très frais qui sert à préparer le thé à la menthe.

Pi Lo Chun, thé de fin d'après-midi.

THÉS SEMI-FERMENTÉS OU OOLONG
Ils ont fait la réputation des thés de Formose. Ils se dégustent sans sucre ni lait et sont encore assez méconnus en France.

Dong Ding Wu Long (ou Tung Ting), moyennement fermenté (40 %), un des meilleurs thés de l'île.

Fancy Oolong, thé très fermenté (de 60 à 70 %) de fin d'après-midi ou de soirée.

Pouchong, thé peu fermenté (10 %) de la journée.

THÉS NOIRS FUMÉS
Les thés du petit déjeuner à l'anglaise et du brunch.

LES THÉS DE L'INDE

ASSAM THÉS NOIRS
Thés de grande qualité, au goût puissant.

Les first flush sont peu vendus en Europe.

Bamonpookri, TGFOP, first flush, thé pour le petit déjeuner.

Betjan, GFBOP, second flush, thé corsé qui convient au petit déjeuner.

Meleng, FOP, second flush, thé du matin.

Napuk, FTGFOP1, second flush, *thé du matin par excellence.*

Nonaipara, TGFOP, first flush, *thé de la journée.*

Silonibari, TGFOP, second flush, *jardin renommé, accompagne les plats salés.*

Tara, FOP, second flush, *thé de l'après-midi.*

THÉS VERTS
Petite production qui mérite toutefois d'être découverte.

Khongea, *thé idéal pour un moment de détente*

DARJEELING THÉS NOIRS
Une grande diversité de thés au goût délicat, très répandus en France. Les first flush sont légers et parfumés, les second flush, plus fruités et corsés, les in between associent verdeur et maturité.

Badamtam, FTGFOP1, second flush, *excellent thé, pour toute la journée.*

Bloomfield, GFOP, first flush, *très grand jardin, thé d'après-midi.*

Castelton, SFTGFOP1, second flush, *grand cru, le plus précieux des thés de l'Inde.*

Gielle, FTGFOP, second flush, *thé fin pour toute la journée.*

Makaibari, FTGFOP1, first flush, *excellent thé d'après-midi.*

Margaret's Hope, SFTGFOP1, first flush, *très grand thé parfumé pour les connaisseurs.*

Margaret's Hope, TGBOP1, second flush, *thé du matin.*

Namring, TGBOP, first flush, *pour ceux qui mettent un nuage de lait dans leur thé.*

Namring Upper, SFTGFOP1, second flush, *un excellent thé pour les grandes occasions.*

Pandam, FTGFOP1, first flush, *thé de début de soirée.*

Puttabong, FTGFOP1, first flush, *sublime thé d'après-midi.*

Puttabong, FTGFOP1, second flush, *très grand thé idéal pour l'après-midi.*

Risheehat, FTGFOP1, second flush, *thé de première classe, pour la journée.*

Seeyok, GFOP, first flush, *le thé de cinq heures par excellence.*

Seeyok, FTGFOP, in between, *idéal pour le thé de cinq heures.*

Selimbong, GFOP, second flush, *excellent thé rafraîchissant.*

Singbulli, GFOP, second flush, *thé d'après-midi qui supporte un nuage de lait.*

Singtom, FTGFOP, first flush, *thé subtil, de journée.*

Teesta Valley, TGFOP, second flush, *parfait pour le brunch.*

Tumsong, GFOP, first flush, *un grand jardin, un thé au goût équilibré.*

TERAI
Thés noirs des plaines du nord de l'Inde servant essentiellement à relever certains mélanges, excepté certains jardins.

Ashapur, CTC.

Kamala, CTC.

Ord, TGFOP, *pour la matinée.*

Pahargoomiah, CTC.

DOOARS
Thés noirs des plaines du nord de l'Inde servant essentiellement à relever certains mélanges, excepté certains jardins.

Bhatpara, CTC.

Good Hope, TGFOP, *de la journée.*

Toonbarie, CTC.

Soongachi, CTC.

NILGIRI
Thés noirs puissants des hauts plateaux du sud de l'Inde.

Nilgiri, BOP, *thés de la journée.*

Nunsuch, TGFOP, *thés de la journée.*

CEYLAN (Sri Lanka)

THÉS NOIRS
*Six grandes régions produisent des thés corsés qui correspondent au goût des Européens. Les **high grown**, thés de haute altitude, sont les meilleurs, les **low grown**, thés de basse altitude, sont plus moyens.*

DIMBULA
(high grown)
Dyagama, BOP, *grand jardin, goût prononcé, supporte un nuage de lait.*

Dimbula, BOP, *très grand jardin, du matin.*

Kenilworth, OP1, *un grand thé, à toute heure.*

Loinorn, Pekoe, *grand arôme, corsé, du matin.*

Pettiagalla, OP1, *thé exceptionnel, de l'après-midi.*

Radella, BOP, *un excellent thé, du matin.*

Somerset, Pekoe, *fort et corsé, thé du matin.*

Theresia, BOP, *jardin réputé, thé du matin.*

GALLE
(low grown)
Allen Valley, FOP, *thé de cinq heures.*

Berubeula, OP1, *moins rare que le FOP, idéal pour le five o'clock.*

Devonia, FOP, *grand cru, thé de fin d'après-midi, en mangeant.*

Galaboda, OP1, *idéal pour le brunch.*

NUWARA ELIYA
(high grown)
Maha Gastotte, BOP, *thé du matin.*

Nuwara Eliya, *OP,*
un des plus grands Ceylan,
pour l'après-midi.

Tommagong, *BOPF, thé*
tonique du matin.

RATNAPURA
(low grown)
Ratnapura, *OP, thé de cinq*
heures.

UVA
(high grown)
Aislaby, *BOP remarquable*
jardin, thé puissant du petit
déjeuner.

Attempettia, *FP, réputé,*
thé fort pour la journée.

Dyraaba, *BOPF, si corsé qu'il*
peut remplacer le café.

Roehampton, *BOP, thé fort,*
supporte un nuage de lait.

Saint James, *OP, thé fameux*
pour la journée.

Saint James, Fannings,
le seigneur de l'île, thé pour
la journée.

Uva Highlands, *FP, thé*
du matin.

THÉS DÉTHÉINÉS
Il en existe d'excellents en FP,
BOP, OP.

JAPON

Le Japon produit
exclusivement des thés verts
qui se boivent à toute heure
du jour et peuvent
accompagner les repas.

Bancha, *thé de pleine*
lumière, de qualité
moyenne, un peu amer.

Fuji-Yama, *thé de qualité*
exceptionnelle, aromatique.

Genmaicha, *mélange*
de Sencha ou de Bancha
avec du riz ou du maïs
grillé, goût très original.

Gyokuro, *thé ombré,*
précieux et raffiné,
uniquement de première
récolte.

Matcha, *thé en poudre*
(Gyokuro ou Tencha),
délicieux également en thé
glacé.

Sencha, *thé de pleine*
lumière, le plus consommé
au Japon.

Sencha Honyama, *grand*
thé du matin, très riche
en parfum, tonique.

Sencha Ariake, *thé de la*
journée, subtil, au très riche
bouquet.

Tamaryokucha, *thé*
rafraîchissant, convient à
tout moment de la journée.

Tencha, *thé ombré,*
de première et deuxième
récolte, doux et léger.

INDONÉSIE

La production, de qualité
moyenne, est surtout
destinée à la fabrication
du thé en sachets.
Il existe cependant
quelques très beaux jardins
qui produisent des thés
noirs riches en arômes
de grande qualité.

Malabar, *OP, jardin*
renommé de Java, thé
d'après-midi.

Taloon, *GFOP, grand jardin*
de Java, thé subtil
de l'après-midi.

VIÊT-NAM

Petite production de thés
noirs peu corsés, de thés
légèrement fermentés,
de thés verts et de thés
au jasmin.

Annam, *Pekoe, thé noir*
au goût légèrement épicé,
pour la matinée.

GÉORGIE

Thé russe pour samovar
par excellence, de petite
production et généralement
de qualité moyenne.

Géorgie, *OP, thé du soir,*
doux.

TURQUIE

Une grosse production
destinée à la consommation
locale. Thé pour samovar
également.

Rizé, *BOP, thé corsé*
du matin

Rizé, *OP, thé doux*
pour le soir.

KENYA

Premier pays producteur
africain de thé à la qualité
constante, sous forme
de CTC à 99 %.

Highgrown, *Pekoe,*
thé corsé des hauts
plateaux pour le matin.

Marinyn, *GFOP,*
très grand jardin kenyan,
rafraîchissant, thé
pour la journée.

THÉS MÉLANGÉS OU BLEND

Neuf grands classiques qui,
s'ils sont composés de thés
de qualités, peuvent être
excellents.

Afternoon Tea, *composé*
d'un thé d'Assam ou
d'Afrique et d'un Ceylan
Nilgiri ou Darjeeling. Il est
donc moins corsé et plus
riche en arômes, thé
de l'après-midi comme
son nom l'indique.

Brunch, *composé d'un*
Assam et d'un Darjeeling,
thé équilibré qui se boit
en mangeant.

Caravane, *composé de thés*

de Chine non fumés, thé
faible en théine, savoureux.

Chine pointes blanches,
composé de thés fumés
et non fumés de Chine avec
des bourgeons duveteux.
Une curiosité.

English Breakfast, *même*
mélange que pour
l'Afternoon Tea, mais en BOP
au lieu de FOP, thé corsé
pour le petit déjeuner
anglais.

Five O'Clock Tea, *FOP ou OP,*
composé d'un Ceylan et
d'un Darjeeling ou Assam,
thé délicat de cinq heures.

Irish Breakfast, *composé*
d'un Ceylan et d'un Assam,
thé parfumé et corsé pour
le petit déjeuner.

Mélange anglais, *peut être*
composé de thés de l'Inde,
de l'Afrique, Chine,
Argentine, Ceylan... tout
dépend donc du mélange
et de la qualité des thés.

Impérial Or, *composé*
de thés de Chine, l'un
légèrement fumé, l'autre
au jasmin. Délicat.

Chaque grande maison
de thé possède ses propres
mélanges, goûtez-les !

THÉS PARFUMÉS

Les grands classiques
sont les Earl Grey (à la
bergamote), les thés au
jasmin et les thés parfumés
traditionnels au
chrysanthème, à la fleur
d'oranger, au lichee, au lotus,
au magnolia (Yulan Huacha),
à la rose (Meigui Hongcha)...
Mais les thés peuvent être
parfumés aux fleurs,
aux agrumes, aux fruits
exotiques, fruits classiques...
L'essentiel est qu'ils
le soient de façon naturelle
et non pas avec
des arômes artificiels.

Les trucs du thé

Un nettoyant

Le thé, sous forme d'**infusion** froide, est utilisé pour nettoyer les miroirs, les chromes, les boiseries. Les moines bouddhistes chinois utilisent les feuilles de thé infusées pour nettoyer leurs assiettes, le thé ayant la faculté de dissoudre la graisse.

Un désodorisant

Lorsque vous achetez un plat en terre et qu'il garde une odeur désagréable, il est conseillé d'y faire bouillir des feuilles de thé pendant quelques heures. Si un ustensile de cuisine comme une poêle conserve une odeur déplaisante de poisson, vous pouvez le frotter avec des feuilles de thé humide infusées. C'est aussi valable pour les mains imprégnées de l'odeur de l'oignon ! Les Chinois qui connaissent les vertus désodorisantes du thé font sécher les feuilles et en remplissent de petits sacs qui trouvent leur place dans les placards, les toilettes, les chaussures. En outre, le thé a des vertus antibactériologiques. En faisant brûler ses feuilles, on désodorise et assainit une pièce.

La cuisine

Quand vous cuisinez du poisson séché, ajoutez, lors du dessalement, des feuilles de thé infusées pour que les protéines ne disparaissent pas dans l'eau.

Le jardin

Les feuilles déjà infusées et mélangées à la terre font un très bon engrais pour les plantes.

Le soin de la peau

Le **thé vert** atténue les rougeurs et calme les peaux sensibles. Utilisé en compresse sur les yeux, il les décongestionne. Il est censé illuminer les cheveux châtains ternes.

Comment enlever les taches de thé ?

Si la tache est ancienne, frottez-la avec de l'eau additionnée de glycérine. Sur du linge blanc, imprégnez l'endroit taché de gouttes de citron et lavez à l'eau froide. Sur une nappe de couleur, imprégnez le tissu avec un jaune d'œuf délayé dans de l'eau tiède. Pour nettoyer une moquette ou un tapis, utilisez un mélange constitué pour moitié d'alcool à brûler et pour autre moitié de vin blanc (sec) ou de vinaigre blanc. Badigeonnez puis appuyez fortement avec un linge sec.

SUCRE SICC
A L'ALCOO
HIX
ROUGE

THE
ENCAUSTIQUE
LIQUIDE
HIX

PÂTE A LAIT

Êtes-vous un amateur de thé ?

1 • Quelle différence y a-t-il entre une feuille de thé noir et une feuille de thé vert ?

2 • Le thé est bon pour les dents. Vrai ou Faux ?

3 • Le thé d'Assam provient-il de Chine ou d'Inde ?

4 • La région de Darjeeling possède-t-elle 87 ou 1200 jardins ?

5 • Combien existe-t-il d'espèces de théiers ?

6 • L'Orange Pekoe est un thé parfumé à l'orange. Vrai ou Faux ?

7 • Quel est le plus grand producteur de thé au monde ?

8 • Le Lapsang Souchong est le thé le plus consommé en Chine. Vrai ou Faux ?

9 • Que signifie Darjeeling ?

10 • La bergamote est un mélange d'épices. Vrai ou Faux ?

11 • Le Matcha est-il un thé de Chine ou de Ceylan ?

12 • Qui a dit « Le thé n'est pas ma tasse de thé » ?

13 • Le Matcha est un thé réduit en poudre. Vrai ou Faux ?

14 • Le thé fut une des causes de la guerre d'indépendance de l'Amérique. Vrai ou Faux ?

15 • Que produisait Ceylan, avant d'être un grand producteur de thé ?

16 • Les thés les plus fumés sont-ils les Tarry ou plutôt les Lapsang Souchong ?

17 • Le Goût russe est-il le thé le plus consommé par les Russes ?

18 • Comment les Chinois appellent-ils le thé noir ?

19 • L'Earl Grey est-il un mélange de thé, un thé parfumé ou un thé recueilli précocement ?

20 • Le Yunnan est surnommé le « moka du thé ». Vrai ou Faux ?

21 • L'opium était une valeur d'échange contre le thé au XIXᵉ siècle. Vrai ou Faux ?

22 • Le thé à la menthe est-il fait avec du Darjeeling ou du Yunnan ?

23 • Les Tibétains rajoutent-ils du sel, du beurre ou de l'oignon dans le thé ?

24 • Les vitamines se trouvent-elles dans les feuilles hautes ou basses du théier ?

25 • Qui a codifié la cérémonie du thé : Sen No Rikyû ou Lu Yu Sen ?

26 • Les Anglais sont les premiers à importer du thé en France. Vrai ou Faux ?

27 • Orange Pekoe veut dire « petite feuille à l'orange ». Vrai ou Faux ?

28 • C'est le Transsibérien qui a mis fin aux caravanes de thé. Vrai ou Faux ?

29 • À l'origine, le clipper était-il un bateau anglais ou américain ?

30 • Les Français ont fait pousser des théiers en Bretagne. Vrai ou Faux ?

RÉPONSES

1. C'est à l'origine la même feuille cueillie, mais elle est fermentée (dans le premier cas) ou pas (dans le second).
2. Vrai. Même s'il les jaunit, il est très riche en fluor (surtout le thé vert) et il combat les caries.
3. D'Inde.
4. 87.
5. Une seule mais plusieurs variétés.
6. Faux. C'est un grade du thé correspondant à une cueillette fine mais tardive.
7. L'Inde avec 750 000 tonnes de thé, devant la Chine (600 000 tonnes dont 403 000 de thé vert).
8. Faux. C'est un thé fumé, essentiellement réservé à l'exportation.
9. Le « Terre des foudres », en tibétain.
10. Faux. C'est un agrume, issu de l'hybridation d'un citronnier et d'un bigaradier (espèce d'oranger).
11. Ni l'un, ni l'autre. C'est un thé vert du Japon.

12. Personne.
13. Vrai. C'est un Tencha réduit en poudre puis battu, utilisé pour la cérémonie du thé.
14. Vrai. Les premières hostilités datent de la Boston tea party en 1773, où des colons jetèrent à la mer 342 caisses de thé britannique.
15. Du café, qui fait la richesse de l'île dès 1825 jusqu'à la dévastation des plantations par la rouille entre 1865 et 1890.
16. Les Tarry Souchong. Ceux de Taïwan sont encore plus fumés que ceux de Chine.
17. Non. Goût russe désigne un mélange de thés de Ceylan, d'Inde et de Chine, parfumé aux agrumes.
18. Thé rouge. Leur classification tient compte de la couleur de la liqueur et non de celle de la feuille.

19. C'est un thé parfumé à la bergamote.
20. Vrai. C'est un thé noir de très grande qualité, le « Grand Seigneur de Chine ».
21. Vrai. Il est introduit en Chine par les Anglais (qui l'importent de l'Inde) et créera l'occasion de deux guerres entre ces deux puissances (1840-1842 et 1856-1860).
22. Ni l'un ni l'autre, mais avec un thé vert chinois, le Gunpowder le plus souvent.
23. Ils rajoutent tout cela à la fois. Et le thé est bouilli et battu. On parle alors de soupe.
24. Dans les feuilles hautes car ce sont les feuilles de meilleure qualité.
25. Sen No Rikyû, grand maître du thé au XVI e siècle.

26. Faux. Ce sont les Hollandais, sous Louis XIII.
27. Faux. Orange vient du mot « Oranje », de la famille Oranje Nassau, qui compta les premiers importateurs de thé hollandais.
28. Vrai. Il ne fallait plus que quelques jours pour transporter le thé entre la Russie et la Chine alors que les premières caravanes ralliaient en six mois la frontière chinoise à Nijni-Novgorod.
29. Un bateau américain : le premier, le Rainbow, prend la mer en 1845. Les clippers américains domineront les mers jusqu'en 1856.
30. Vrai. Du moins ont-ils essayé, même si ce ne fut pas très concluant : la région du Finistère était certes humide mais trop froide.

Filmographie

▼

FISH AND CHIPS

(East is East)

Film britannique de Damien O'Donnell (1999). Le thé et les émigrés pakistanais dans une ville industrielle du nord-ouest de l'Angleterre.

LA PETITE MAISON DE THÉ

(The Teahouse of the August Moon)

Film américain de Daniel Mann (1956), producteur Jack Cumming/MGM. À la construction d'une école, les Japonais préfèrent la « maison » de thé qui offre autre chose...

LAWRENCE D'ARABIE

(Lawrence of Arabia)

Film anglo-américain de David Lean (1962), producteur Sam Spiegel/COL-Horizon Picture. Le thé dans le désert, vu une nouvelle fois par les Anglais.

LES CONTES DE LA LUNE VAGUE APRÈS LA PLUIE

(Ugetsu monogatari)

Film japonais de Kenji Mizoguchi (1953), producteur Maisaichi Nagata/Daieri. Le thé dans le Japon ancien.

LE THÉ À LA MENTHE

Film français d'Abdelkrim Bahloul (1984), producteur Entreprise française de production. Le thé, un lien entre émigrés et policiers.

LE THÉ AMER DU GÉNÉRAL YEN

(The Bitter Tea of General Yen)

Film américain de Frank Capra (1932), producteur Walter Wanger/Columbia Picture Corporation. Le thé dans la confrontation entre l'Occident et l'Orient en Chine.

LE THÉ AU HAREM D'ARCHIMÈDE

Film français de Medhi Charef (1985), producteur Michèle Ray-Gavras/ministère de la Culture et ministère des Relations extérieures français/KG. Juste un jeu de mots sur ce que comprend un jeune beur du théorème d'Archimède.

LA MORT D'UN MAÎTRE DE THÉ

(Sen No Rikyû)

Film japonais de Ken Kaumai, acteur principal Toshiro Mifune (1989). Deux hommes en 1618 tentent de comprendre pourquoi le célèbre maître de thé Rikyû s'est fait harakiri 17 ans plus tôt. Magnifique adaptation du roman de Yasushi Inoue.

LE VENT NOUS EMPORTERA

Film iranien d'Abbas Kiarostami (1999), producteur Martin Karmitz et Abbas Kirostamini/MK2 Production. Dans un village du Kurdistan iranien, un homme venant de Téhéran ne prend jamais le temps de boire son thé.

RETOUR À HOWARDS END

(Howards End)

Film britannique de James Ivory (1981), producteur Ismail Merchant. Un exemple du thé au cinéma dans l'Angleterre victorienne.

SAMMY ET ROSIE S'ENVOIENT EN L'AIR

(Sammy and Rosie Get Laid)

Film britannique de Stephen Frears (1987), producteur Sarah Radcliff/Timbevans. Le thé dans l'Angleterre des émigrés indiens.

THÉ ET SYMPATHIE

(titre original)

Film américain de Vincente Minnelli (1956), producteur Pandro Berman/MGM. Autour d'une tasse de thé s'échangent les confidences, se nouent les liens.

UNE FEMME DISPARAÎT

(The Lady Vanishes)

Film britannique d'Alfred Hitchcock (1938), producteur Edward Black/Gainsborough. Un sachet de thé très spécial sert d'indice puis de preuve.

UN THÉ AU SAHARA

(The Sheltering Sky)

Film italien de Bernardo Bertolucci (1990), producteurs William Aldrich et Jeremy Thomas. Thé et Sahara, mirage des New-Yorkais qui fuient leurs problèmes.

UN THÉ AVEC MUSSOLINI

(Tea with Mussolini)

Film italo-britannique de Franco Zefirelli (1999), producteurs Cineritmo-Cattleya-Medusa Productione. Une tasse de thé dans l'Italie fasciste des années 1930.

VOYAGE À TOKYO

(Tokyo monogatari)

Film japonais de Yasujiro Ozu (1953), producteur Shochiku/Ofuma. Le thé dans le Japon moderne.

Bibliographie

L'Art français du thé, Mariage Frères, 1999.

Christine Barbaste, *Le Thé à Paris*, éditions Parigramme/Compagnie parisienne du Livre, 1998.

John Blofeld, *Thé et tao : l'art chinois du thé*, éditions Albin Michel, 1997.

Jacques Boucher de Perthes, *Voyage en Russie*, 1859, in *Le Voyage en Russie, anthologie des voyageurs français au XVIIIe et au XIXe siècle*, éditions Robert Laffont, coll. « Bouquins », 1990.

Gilles Brochard, *Petit Traité du thé*, éditions de La Table Ronde, coll. « Les petits livres de la sagesse », 1997.

Paul Butel, *L'Histoire du thé*, éditions Desjonquères, 1997.

Michèle Carles et Gilles Brochard, *Plaisirs de thé*, éditions du Chêne, 1998.

Lewis Carroll, *Les Aventures d'Alice au pays des merveilles*, éditions Aubier-Flammarion, coll. bilingue, 1970.

Philippe Sylvestre Dufour, *Traité du thé* (restitution de l'édition de 1693), Connaissance et Mémoires européennes, 1996.

Robert Fortune, *La Route du thé et des fleurs*, éditions Hoëbeke, 1992 et éditions Payot, 1994.

Robert Fortune, *Le Vagabond des fleurs, trois années dans la Chine du thé, de l'opium et des fleurs*, éditions Hoëbeke, 1994.

Maït Foulkes, *Les Saveurs du thé*, éditions Philippe Picquier, coll. « Le goût de l'Asie », 1998.

Fatéma Hal, *Gestes et saveurs du Maroc*, éditions Stock, 1995.

James Joyce, *Ulysse*, éditions Gallimard, coll. Folio, 1972.

Okakura Kakusô, *Le Livre du thé* (édition originale, New-York, 1906), éditions Dervy, 1998.

Dominique Marny, *Darjeeling*, Jean-Claude Lattès, 1996.

Colette Monsat, « Le thé entre en cuisine » *in Saveurs*, n° 90, octobre-novembre 1999.

Jean Montseren, *Guide de l'amateur de thé*, éditions Solar, 1999.

Wenceslau de Morães, *Dai-Nippon, O Grande Japão*, Civilização Editora, 1993.

Wenceslau de Moraes, *Le Culte du thé*, éditions La Différence, 1998.

Dominique T. Pasqualini et Bruno Suet, *Le Temps du thé*, éditions Marval, 1999.

Annie Perrier-Robert, *Le Thé*, éditions du Chêne, coll. « Les Carnets gourmands », 1999.

Alexandre Pouchkine, *Eugène Onéguine*, traduit du russe par Minor Nata, Le Seuil, 1990.

Marcel Proust, *Du côté de chez Swann*, éditions Gallimard, coll. « La Pléiade », 1954.

Sôshitsu Sen, *Vie du thé, esprit du thé*, éditions SELD/Jean-Cyrille Godefroy, 1994.

Sôshitsu Sen, *Le Zen et le Thé*, éditions SELD/Jean-Cyrille Godefroy, 1987.

Sous la direction de **Christine Shimizu,** *Les Arts de la cérémonie du thé*, éditions Faton, 1996.

Muriel Spark, « Le Pain, le beurre et les images », in la revue Le Serpent à plumes, n° 11, 1994.

Sabine Yi, Jacques Jumeau-Lafond et Michel Walsh, *Le Livre de l'amateur de thé*, éditions Robert Laffont, 1983.

Abdallah Zrika, « La cérémonie du thé », *in Regard sur la culture marocaine*, n° 1, éditions Kalima, Casablanca, 1988.

Où acheter du thé en vrac ?

▼

Si les Français consomment encore peu de thé, Paris est la ville au monde qui en offre le plus grand choix. La qualité du thé est certes importante, le conseil ne l'est pas moins. Si vous êtes néophyte, n'hésitez pas à vous laisser guider dans votre choix.

À PARIS

MARIAGE FRÈRES
30, rue du Bourg-Tibourg,
75004 Paris.
Tél. : 01 42 72 28 11.
13, rue des Grands-
Augustins,
75006 Paris.
Tél. : 01 40 51 82 50.
260, rue du Faubourg-
Saint-Honoré,
75008 Paris.
Tél. : 01 46 22 18 54.
www.mariagefreres.com

« Le Bon Marché »
espace arts de la table
24, rue de Sèvres,
75007 Paris.
Tél. : 01 44 39 82 89.

« Galeries Lafayette »
espace arts de la table
40, bd Haussmann,
75009 Paris.
Tél. : 01 42 82 38 96.

« La Samaritaine »
espace arts de la table
19, rue de la Monnaie,
75001 Paris.
Tél. : 01 40 41 25 81.

**BETJEMAN AND
BARTON**
23, boulevard Malesherbes,
75008 Paris.
Tél. : 01 42 65 86 17.
www.betjeman@
wanadoo.fr

HÉDIARD
21, place de la Madeleine,
75008 Paris.
Tél. : 01 43 12 88 88.
www.hediard.fr

KUSMI (THÉS RUSSES)
75, Avenue de Niel,
75017 Paris.
Tél. : 01 42 27 91 46.

LA MAISON DE LA CHINE
76, rue Bonaparte,
75006 Paris.
Tél. : 01 40 51 95 00.
www.maisondela chine.fr

**LA MAISON DES TROIS
THÉS**
5, rue du Pot-de-Fer,
75005 Paris.
Tél. : 01 43 36 93 84.

LE PALAIS DES THÉS
64, rue Vieille-du-Temple,
75003 Paris.
Tél. : 01 48 87 80 60.
35, rue de l'Abbé-Grégoire,
75006 Paris.
Tél. : 01 45 48 85 81.
25, rue Raymond-Losserand,
75014 Paris.
Tél. : 01 43 21 97 97.
21, rue de l'Annonciation,
75016 Paris.
Tél. : 01 45 25 51 52.
www.le.palais.des.thes.fr

LES CONTES DE THÉ
60, rue du Cherche-Midi,
75003 Paris.
Tél. : 01 45 49 45 96.

THÉ FRANÇAIS
35, rue, du Bourg-Tibourg,
75004 Paris.
Tél. : 01 44 54 18 54.

TCH'A
6, rue du Pont-de-Lodi,
75006 Paris.
Tél. : 01 43 29 61 31.

TWINNINGS
76, bd Haussmann,
75008 Paris.
Tél. : 01 43 87 39 84.

VALADE
21, bd de Reuilly,
75012 Paris.
Tél. : 01 43 43 39 27.

VERLET
256, rue Saint-Honoré,
75001 Paris.
Tél. : 01 42 60 67 39.

WHITTARD OF CHELSEA
22, rue de Buci,
75006 Paris.
Tél. : 01 43 29 96 16.

Vous trouverez également
un choix de thés en vrac
dans les épiceries fines
des grands magasins
du Bon Marché,
du Printemps
et des Galeries Lafayette.

EN PROVINCE

**BETJEMAN AND
BARTON**
6, rue Bouffard,
33000 Bordeaux.
Tél. : 05 56 44 92 30.

**COMPTOIR FRANÇAIS
DU THÉ**
21, rue Huguerie,
33000 Bordeaux.
Tél. : 05 56 44 65 70.

LE PALAIS DES THÉS
6-8, rue du Curé
Saint-Étienne,
59800 Lille.
Tél. : 03 20 13 02 82.

LE PALAIS DES THÉS
50, cours Vitton,
69006 Lyon.
Tél. : 04 72 74 23 74.

CHA YUAN
3-7, rue des Remparts
d'Ainay,
69002 Lyon.
Tél. : 04 72 41 04 60.

BLEU THÉ
6, rue de la Croix d'or,
34000 Montpellier.
Tél. : 04 67 60 41 81.

LE PALAIS DES THÉS
« La Galerie »,
54, rue Sauvage,
68200 Mulhouse.
Tél. : 03 89 45 14 15.

LILYAN LANGLAIS
3, rue Jules-Simon,
35000 Rennes.
Tél. : 02 99 78 28 38.

MARIAGE FRÈRES
vente par correspondance,
70, avenue des Terroirs
de France 75012 Paris.
Tél. : 01 43 47 18 54.
Fax : 01 43 46 60 60.

À L'ÉTRANGER

CAMELLIA SINENSIS
351, rue Emery,
Montréal.
Tél. : 286 40 02.

MARIAGE FRÈRES
« Harvey Nichols »
Knigtsbridge SW1,
7 RJ Londres.
Tél. : 171 235 50 00.

LE PALAIS DES THÉS
« ABC Parlour Café »,
88 Broadway,
New York.

TAKASHIMAYA
693, Fifth Avenue,
New York.
Tél. : 753 20 38.

MARIAGE FRÈRES
TOKYO
Suzuran-Dori
5-6-6 Ginza, Chuo-ku
Tél. : 03 35721854.

« Seibu Ikebukuro »
1-28-1 Minami-Ikebukuro

« Seibu Shibuya »
21-1 Udagawa-Cho Shibuya

« Printemps Ginza »
3-2-1 Ginza

« Odakyu Shinjuku »
1-1-3 Nishi-Shinjuku, Shinjuku

« Mitsukoshi Ebisu »
Garden Place 4-20-7 Ebisu

MARIAGE FRÈRES KOBE
3-6-1 Sannomiya-Cho
Chuo-Ku,
Tél. : 078-3916969.

MARIAGE FRÈRES
KYOTO
Kawaramachi-Dori
Nakakyo-Ku,
Tél. : 075-2555591.

MARIAGE FRÈRES
OSAKA
2-1-17 Shinsaibashi-Suji
Chuo-Ku,
Tél. : 06-62136575.

LE PALAIS DES THÉS
5-24-2 Okusawa Setagaya,
Tokyo.

Où déguster le thé sur
place, accompagné ou non
de gourmandises sucrées
ou salées ?

COMME EN EXTRÊME-ORIENT

LA MAISON DES TROIS THÉS
Une maison de thé
taiwanaise.
Voir p. 118.

TCH'A
Une maison de thé chinoise.
Voir p. 118.

TORAYA
Une pâtisserie japonaise.
10, rue Saint-Florentin,
75001 Paris.
Tél. : 01 42 60 13 00.

COMME EN ORIENT

INSTITUT DU MONDE ARABE
1, rue des Fossés-Saint-Bernard,
75005 Paris.
Tél. : 01 40 51 38 38.

MOSQUÉE DE PARIS
39, rue Geoffroy-Saint-Hilaire,
75005 Paris.
Tél. : 01 43 31 18 14.

ZAP SPIRIT
60, bd de Ménilmontant,
75020 Paris.
Tél. : 01 43 49 10 64.

Les salons de thé

À PARIS

A PRIORI THÉ
35-37, passage Vivienne,
75002 Paris.
Tél. : 01 42 97 48 75.

AUX DÉLICES DE SCOTT
39, avenue de Villiers,
75017 Paris.
Tél. : 01 47 63 71 36.

BROCCO
180, rue du Temple,
75003 Paris.
Tél. : 01 42 72 19 81.

CHEZ LES FILLES
64, rue du Cherche-Midi,
75006 Paris.
Tél. : 01 45 48 61 54.

LADURÉE
75, avenue des Champs-Élysées, 75008 Paris.
Tél. : 01 40 75 08 75.

L'ARBRE À CANNELLE
57, passage des Panoramas,
75002 Paris.
Tél. : 01 45 08 55 87.

L'HEURE GOURMANDE
22, passage Dauphine,
75006 Paris.
Tél. : 01 46 34 00 40.

MARIAGE FRÈRES
Pour déguster le thé dans
une ambiance coloniale.
Voir p. 118.

TEA CADDY
14, rue Saint-Julien-du-Pauvre,
75005 Paris.
Tél. : 01 43 54 15 56.

Gilles Brochard, auteur
de nombreux ouvrages
de référence sur le thé,
et le Club des buveurs
de thé organisent à l'hôtel
Bristol des dégustations
de grands crûs de thé
(Tél. : 01 43 35 08 78).

EN PROVINCE

CHA YUAN
À Lyon
Voir p. 118.

L'ARBRE À THÉ
4, rue du Pont-David,
69002 Lyon.
Tél. : 04 72 40 06 68.

SIMPLE SIMON
13, rue Thomassin,
69002 Lyon.
Tél. : 04 72 41 04 98.

SIMPLE SIMON
61, rue Palud,
13006 Marseille.
Tél. : 04 91 55 04 50.

BLEU THÉ
6, rue de la Croix d'or,
34000 Montpellier.
Tél. : 04 67 60 41 81.

LA NOUVELLE HÉLOÏSE
15, rue Jean-Jacques Rousseau,
44000 Nantes.
Tél. : 02 40 73 62 99.

MRS DALLOWAY
5, rue Nationale,
35000 Rennes.
Tél. : 02 99 79 27 27.

Les salons de thé à l'étranger

▼

LONDRES

CAFÉ FRANÇOISE
Les brumes du Nord et les vapeurs de thé.
Kerkstraat 176, Amsterdam.

BROWN'S
Une vieille maison au charme tout britannique.
Albermarle and Dover Street, Londres.
Tél. : 493 60 20.

HYDE PARK HOTEL
Dans un décor grandiose, un « traditional english afternoon tea ».
Knightsbridge, Londres.
Tél. : 325 20 00.

WALDORF
À deux pas de Covent Garden, le thé à la mode.
Aldwych, Londres.
Tél. : 836 24 00.

RITZ
Et pourquoi pas un thé dansant ?
Piccadilly, Londres.
Tél. : 493 81 81.

SAVOY
Vue sur les quais de la Tamise, un thé délicieux dans un décor de rêve.
The Strand, Londres.
Tél. : 836 43 43.

MONTRÉAL

SALON DE THÉ CAMELLIA SINENSIS
351, rue Emery, Montréal.
Tél. : 286 40 02.

MOSCOU

CAFÉ MARGARITA
Malaïa Bronnaïa Oulitsa 28, Moscou.

NEW YORK

TAKASHIMAYA
693, Fifth Avenue, New York.
Tél. : 753 20 38.

PRAGUE

PLHA CAFÉ
Grand choix de thés au milieu d'œuvres d'art exposées.
Klimentska et Revolucni, Prague 1.

DOBRA CAJOVNA
Dans le quartier Stare Mesto, une grande variété de thés.
Vaclavské nam 14, Prague 1.

U ZELENEHO CAJE
Dans Hradcany, un grand choix de pâtisseries et de thés.
Nerudova 19, Prague 1.

ROME

BABINGTON'S TEA ROOMS
Place d'Espagne, 23, Rome.

SÉOUL

YET CHA CHIP
Dans le quartier des calligraphes et des antiquaires (In Sa Dong) une maison de thé avec de la musique bouddhiste et des oiseaux en liberté.
2-2 Kwan Hun Dong, Chong Ro-Gu, Séoul.

VIENNE

HEINER
Vollzeile 9, Vienne.
Kartner Stasse 21-23, Vienne.

Où trouver les objet du thé ?

Les théières : en terre cuite, en fonte, en faïence émaillée...

BETJEMAN AND BARTON - *Voir p. 118.*

LE PALAIS DES THÉS
Voir p. 118.

LES CONTES DE THÉ
Voir p. 118.

MARIAGE FRÈRES
Voir p. 118.

TCH'A - *Voir p. 118.*

TWINNINGS - *Voir p. 118.*

LES TASSES À INFUSER OU ZHONG

MARIAGE FRÈRES
Voir p. 118.

LA MAISON DES TROIS THÉS - *Voir p. 118.*

TCH'A - *Voir p. 118.*

LES MUGS

BETJEMAN AND BARTON - *Voir p. 118.*

LES CONTES DE THÉ
Voir p. 118.

MARIAGE FRÈRES
Voir p. 118.

TWINNINGS - *Voir p. 118.*

L'ART DU THÉ À LA JAPONAISE

MARIAGE FRÈRES
Voir p. 118.

LE CHAT HUANT
50, rue Galande,
75005 Paris.
Tél. : 01 46 33 67 56.

KIMONOYA
11, rue du Pont-Louis-Philippe,
75004 Paris.
Tél. : 01 48 87 30 24.

L'ART DU THÉ À LA CHINOISE

MARIAGE FRÈRES
Voir p. 118.

LA COMPAGNIE FRANÇAISE DE L'ORIENT ET DE LA CHINE (CFOC)
167, bd Saint-Germain,
75006 Paris.
Tél. : 01 45 48 10 31.

LE MOYEN-ORIENT

L'ART DU THÉ À LA MODE
5, rue de la Bûcherie,
75005 Paris.
Tél. : 01 43 25 97 00

L'INFLUENCE EUROPÉENNE

BETJEMAN AND BARTON
Voir p. 118.

MARIAGE FRÈRES
Voir p. 118.

TWINNINGS
Voir p. 118.

CÉRÉMONIE DU THÉ

Si vous voulez assister à une cérémonie du thé dans les règles de l'art.

MAISON DE LA CULTURE DU JAPON
101, quai Branly,
75015 Paris.
Tél. : 01 45 37 95 95.

JARDINS ALBERT-KHAN
Un modèle pour commencer une collection de théières.
14, rue du Port,
92100 Boulogne.
Tél. : 01 42 60 13 00.

DÉCOUVERTE

Le musée des Arts décoratifs présente une très belle collection de théières, qui saura vous inspirer pour commencer la vôtre. À défaut, fréquentez les boutiques citées plus haut (la liste n'est pas exhaustive). Il existe des théières à tous les prix, de toute provenance, des plus classiques aux plus étranges.

MUSÉE DES ARTS DÉCORATIFS
107, rue de Rivoli,
75001 Paris.
Tél. : 01 44 55 57 50.

LE THÉ A SON MUSÉE

MARIAGE FRÈRES
30, rue du Bourg-Tibourg,
75004 Paris.
Tél. : 01 42 72 28 11.

Des mots pour comprendre

ANHUI

Province de Chine centrale, l'une des principales productrices de thé noir et de thé vert.

ANNONCE (EAU)

Eau bouillante versée dans la théière et dans les tasses pour les préchauffer.

APPEL

Nouvelle utilisation de feuilles déjà infusées pour préparer un thé.

ASSAM

Province du nord-est de l'Inde donnant un thé portant le même nom.

BANCHA

Thé vert japonais de qualité médiocre.

BANKING

Liqueur retenue dans la feuille égouttée, après infusion, libérée sous la seule pression des doigts.

BLEND

Mélange de différents thés.

BROKEN

Thé aux feuilles brisées lors du roulage.

BROKEN ORANGE PEKOE (BOP)

Grade du thé noir caractérisé par des feuilles brisées régulièresprovenant d'une cueillette fine.

BROKEN PEKOE (BP)

Grade du thé noir caractérisé par des feuilles brisées provenant des deuxièmes et troisièmes feuilles, plus corsé que le BOP.

CAMELLIA

Genre botanique du thé.

CEYLAN

Ancien nom du Sri Lanka. Le nom de Ceylan a été conservé pour les thés qui proviennent de l'île.

CHA

« Thé » en chinois.

CHAIRI

Bassine pour chauffer le thé.

CHANOYU

Nom de la cérémonie japonaise du thé (qui signifie « eau chaude pour le thé »).

CHINGWOO

Thé noir de Chine, non fumé, provenant des plantations de la province du Fujian.

CHUNG

Tasse chinoise sans anse, munie d'un couvercle et d'une soucoupe profonde.

CHUN MEE

Thé vert dont la feuille est roulée sur elle-même sur le sens de sa longueur.

CLIPPER

Bateau à voile rapide qui servait à transporter le thé d'Asie en Europe, du temps de la suprématie britannique.

CONGOU

Thé noir de Chine.

CROP

Terme utilisé en Chine à la place de flush (Inde) pour désigner une récolte (first, second crop).

CTC

Crushing, tearing, curling (broyage, déchiquetage, dessication). L'un des procédés de fabrication du thé noir.

DARJEELING

Province montagneuse du nord de l'Inde où est produit le thé du même nom.

DESSICATION

L'une des étapes de la fabrication du thé, correspondant au séchage de ses feuilles.

DIMBULA

Région du Sri Lanka produisant des thés corsés et astringents.

DOOARS

Province du nord de l'Inde produisant du thé du même nom.

DUST

Thé réduit en poussière, généralement utilisé pour les sachets.

EARL GREY

Mélange de thés non fumés, aromatisés à la bergamote.

ENDURCISSEMENT

Pratique qui consiste à exposer progressivement une pépinière à la lumière afin d'y habituer les jeunes plants du théier.

FACTORY

Lieu où le thé est manufacturé.

FANNINGS

Thés noirs à feuilles broyées de 1 à 1,5 mm.

FERMENTATION

L'une des étapes de la fabrication du thé.

FINE PLUCKING

Cueillette fine.

FINEST TIPPY GOLDEN FLOWERY ORANGE PEKOE (FTGFOP)

Flowery Orange Pekoe d'exceptionnelle qualité.

FIRST FLUSH

Désigne en Inde la première récolte de l'année (principalement pour les Darjeeling). La cueillette se fait entre le 15 mars et le 15 mai.

FLAVEUR

Ensemble des saveurs et des arômes d'une liqueur.

FLÉTRISSAGE

L'une des étapes de la fabrication du thé.

FLOWERY ORANGE PEKOE (FOP)

Grade du thé noir caractérisé par des feuilles de 5 à 8 mm, roulées sur elles-mêmes dans le sens de la longueur.

FLOWERY PEKOE (FP)

Grade du thé noir, caractérisé par des feuilles entières roulées en boule, obtenu à partir d'une cueillette fine.

FUJIAN

Province de Chine productrice de thé.

GALLE

Région du Sri Lanka produisant un thé de Ceylan.

GENMAICHA

Mélange de thé vert (Bancha ou Sencha), de maïs et de riz soufflé, spécialité japonaise.

GOLDEN BROKEN ORANGE PEKOE (GBOP)

Grade du thé correspondant au Broken Orange Pekoe et comportant des golden tips (pointes dorées).

GOLDEN FLOWERY ORANGE PEKOE (GFOP)

Grade du thé correspondant au Flowery Orange Pekoe et comportant des golden tips (pointes dorées).

GOLDEN TIPS

Pointes dorées de certaines feuilles du thé noir ou bourgeons dorés, caractéristique très recherchée.

GRADE

Niveau de qualité d'un thé selon le travail sur la feuille (entière, broyée, en poudre).

GUANGXI

Province de Chine productrice de thé.

GUIZHOU

Province de Chine productrice de thé.

GUNPOWDER

Thé vert, généralement de Chine, composé de feuilles jeunes récoltées en avril, roulées en petites boules. Le terme signifie « poudre à canon ».

GYOKURO

Signifie « perle de rosée » en japonais. Thé ambré de grande qualité.

HIGH GROWN

Plantation et thé de haute altitude (au-dessus de 1 200 mètres).

HUBEI

Province de Chine productrice de thé.

HUNAN

Province de Chine productrice de thé.

HYSON

Signifie « printemps fleurissant » en chinois. Thé vert.

ICHIBAN-CHA

Mot japonais utilisé pour « premier thé » ou « première cueillette ».

Des mots pour comprendre

IMPÉRIALE (cueillette)
Cueillette du bourgeon ou du bourgeon et d'une feuille (P + 1).

INDIAMEN
Bateaux lourds et lents qui transportaient le thé pour la Compagnie des Indes et furent détronés par les clippers.

INFUSION
Feuilles mouillées ayant servi à préparer le thé.

JARDIN
Plantation de thé.

JAUNE (THÉ)
Variante du thé vert.

KABUSE-CHA
Théier poussé à l'ombre, au Japon.

KANDY
Région du Sri Lanka produisant un thé de Ceylan.

KEEMUN
Thé noir de Chine, originaire de la province d'Anhui.

LAPSANG SOUCHONG
Thé noir fumé provenant de Chine, province du Fujian.

LOW GROWN
Plantation et thé de basse altitude (en dessous de 600 mètres).

MATCHA
Thé vert en poudre utilisé lors de la cérémonie du thé au Japon.

MEDIUM PRUNING
Taille de remise à niveau et de régénération des théiers.

MID GROWN
Plantation et thé de moyenne altitude (de 600 à 1 200 mètres).

MUSCATEL FLAVOUR
Goût de muscat très recherché, caractéristique de certains Darjeeling second flush.

NATURAL LEAF
Feuilles naturelles de thé, c'est-à-dire entières, ni roulées ni fumées.

NIGHT SHADOW
Thé vert du Japon, qui provient de la région de Shizuoka.

NILGIRI
Région du sud-est de l'Inde qui donne des thés du même nom.

NINGCHOW
Thé chinois de la province de Hubei.

NOIR (thé)
Thé fermenté.

NURSERY
Pépinière.

OOLONG
Signifie « dragon noir » en chinois. Thé semi-fermenté, qui provient de Chine, principalement de Taïwan (Formose).

ORANGE PEKOE (OP)
Grade du thé noir, qui se caractérise par de grandes feuilles, de 8 à 15 mm, roulées dans le sens de la longueur.

OUVRAGE (THÉ D')
Thé remarquable par son élaboration, comme le thé vert en poudre (Matcha), le thé vert au jasmin, etc.

PANYONG
Thé noir de Chine, de la province du Fujian.

PEKOE (P)
Signifie « duvet blanc » en chinois. Grade du thé noir, qui se caractérise par des feuilles entières roulées en boule, plus gros que le Flowery Pekoe.

PEKOE CONGOU
Thé noir du sud de la Chine.

PEKOE SOUCHONG (PS)
Grade du thé noir caractérisé par des feuilles entières roulées en boule, issu d'une cueillette grossière (troisième feuille).

PINGSUEY
Thé vert de Chine, de la province du Zhejiang.

PLUCKING
Cueillette.

POUCHONG
Oolong très légèrement fermenté provenant essentiellement de Taïwan.

PRUNING
Taille des théiers.

QUALITY TEAS
Thés récoltés dans une saison de qualité.

RAIN TEA
Thés récoltés en période de mousson.

ROUGE (THÉ)
Thé fermenté.

ROULAGE
L'une des phases de la fabrication du thé.

SAMBA-CHA

Signifie « troisième thé » ou « troisième récolte » en japonais.

SANCHUN

Signifie « troisième bond » ou « troisième récolte » en chinois.

SECOND FLUSH

Désigne en Inde la seconde récolte de l'année (principalement pour les Darjeeling). La cueillette se fait entre le 15 juin et le 15 août.

SENCHA

Terme japonais pour Natural Leaf qui qualifie un thé vert ordinaire.

SHOOT

Pousse cueillie.

SILVER TIPS

Pointes de certaines feuilles du thé noir ou bourgeons de couleur argentée.

SOUCHONG (S)

Dernier grade du thé noir, signifiant « petite sorte » en chinois et s'appliquant à des feuilles matures larges.

SPRING TEAS

Thés issus de la récolte de printemps.

STALKS

Morceaux de tiges rencontrés dans certains thés provenant d'une cueillette grossière.

STRUCTURE (THÉ DE)

Thé remarquable par l'équilibre de ses saveurs comme l'Assam ou le Yunnan.

SUMMER TEAS

Thés issus de la récolte d'été.

SZECHWAN

Thé noir de Chine, de la province de Szechwan.

TARRY SOUCHONG

Thé noir très fortement fumé.

TERAI

Région du nord de l'Inde, au sud de Darjeeling, donnant des thés du même nom.

TIPPY GOLDEN FLOWERY ORANGE PEKOE (TGFOP)

Flowery Orange Pekoe avec beaucoup de pointes dorées.

UVA

Région du Sri Lanka donnant des thés ronds et moelleux, parmi les moins corsés de Ceylan.

VERT (THÉ)

Thé non fermenté.

YUNNAN

Province de Chine donnant des thés du même nom.

ZHEJIANG

Province de Chine donnant des thés du même nom.

L'heure des thés

Découvrir ⟫ 2 à 11
Où il est question d'eau chaude, de bonnes feuilles et de voyages.

Savoir ⟫ 12 à 32

Voir ⟫ 33 à 55
Le partage d'une tasse, d'un bol ou d'une chope à thé sous diverses latitudes.

Agir ⟫ 56 à 102

Trouver ⟫ 103 à 125

Crédits

P. 12, 14, 16, Mariage Frères – **P. 19,** Maison de thé, estampe japonaise, Musée des arts asiatiques-Guimet, RMN (J. L'hoir) – **P. 21,** Le thé à l'anglaise dans le Salon des quatre glaces au palais du Temple à Paris en 1764, tableau de M.-B. Ollivier (1712-1784), Versailles, RMN – **P. 22,** Réunion de paysans russes à la fin du XIXᵉ siècle, Jean-Loup Charmet – **P.24,** The Boston Tea Party, 1846, Currier & Ives, The Bridgeman Art Library – **P. 27,** Le Thermopylae, J. Gardner, Le Chasse Marée – **P. 29,** Bibliothèque de l'école vétérinaire de Maisons-Alfort, Selva – **P. 30,** Mariage Frères – **P. 34-35,** Vu (Matthieu Ricard) – **P. 36,** Magnum (René Burri) – **P. 37,** Gamma (Jeremy Horner) – **P. 38,** Magnum (Harry Gruyaert) – **P. 39,** Métis (Max Pam) – **P. 40-41,** Hoaqui (Richer) – **P. 42,** Vu (Bernard Descamps) – **P. 43,** Hoaqui (E. Valentin) – **P. 44-45,** Fotogram-stone (Bushnell/Soifer) – **P. 46,** Magnum (Raymond Depardon) – **P. 47,** Cosmos (W. Gartung) – **P. 48-49,** Magnum (Paul Lowe) – **P. 50,** Magnum (Peter Marlow) – **P. 51,** Cosmos (A. Boulat) – **P. 52-53,** Hoaqui (V. Durruty) – **P. 54,** Vu (J.-E. Atwood) – **P. 55,** Mariage Frères – **P. 56-57,** Christophe Chalier – **P. 58,** Bios (Alain Compost) – **P. 59,** Christophe Chalier – **P. 60-61,** Christophe Chalier, Mariage Frères (Jean-Pierre Dieterlen) – **P. 62 à 65,** Christine Fleurent pour les bols, Phare international (G. Nencioli), pour les thés – **P. 66-69,** Phare international (G. Nencioli) – **P. 70,** Mariage Frères – **P. 71,** Christine Fleurent, Christophe Chalier – **P. 72,** Gamma (Xu Bang) – **P. 73,** Christophe Chalier, Mariage Frères pour la boîte – **P. 74-75,** Christophe Chalier – **P. 76,** Explorer (J. Wishnetsky) – **P. 77,** Christophe Chalier – **P. 78,** Explorer (C. Boisvieux) – **P. 79, 80,** Christophe Chalier – **P. 82,** Bodum, Christophe Chalier – **P. 83,** Mariage Frères – **P. 85,** Bodum, Christophe Chalier – **P. 86- 89,** Phare international (G. Nencioli) – **P. 91,** Christine Fleurent, Christophe Chalier – **P. 93-94-97-98,** – **P. 101-102,** Saveurs (Pierre Desgrieux).

Remerciements

Les auteurs remercient Guy Fillion, Élisabeth Van Egroo.
L'éditeur remercie Mariage Frères pour son aimable collaboration ainsi que Pi design pour Bodum, Geneviève Lethu, 60 rue de Sablonville, 92200 Neuilly et La Compagnie française de l'Orient et de la Chine pour leur participation à la documentation.